P9-BYP-389

LE CONTRAT NATUREL

DU MÊME AUTEUR

Le Système de Leibniz et ses modèles mathématiques, 2 vol., Presses universitaires, 1968. Rééd. en 1 vol., 1982.
Hermès I. La communication, Editions de Minuit, 1969.
Hermès II. L'interférence, Editions de Minuit, 1972.
Hermès III. La traduction, Editions de Minuit, 1974.
Jouvences. Sur Jules Verne, Editions de Minuit, 1974.
Feux et signaux de brume. Zola, Grasset, 1975.
Esthétiques. Sur Carpaccio, Hermann, 1975. Rééd. poche, 1983.
Auguste Comte. Leçons de philosophie positive, t. I, Hermann, 1975.
Hermès IV. La distribution, Editions de Minuit, 1977.
La Naissance de la physique dans le texte de Lucrèce. Fleuves et turbulences, Editions de Minuit, 1977.
Hermès V. Le passage du Nord-Ouest, Editions de Minuit, 1980.
Le Parasite, Grasset, 1980.
Genèse, Grasset, 1982.
Rome. Le livre des fondations, Grasset, 1983.
Détachement, Flammarion, 1983.
Les Cinq Sens, Grasset, 1985.
L'Hermaphrodite, Flammarion, 1987.
Statues, François Bourin, 1987.
Eléments d'histoire des sciences, Bordas, 1989.

MICHEL SERRES

LE CONTRAT NATUREL

ÉDITIONS FRANÇOIS BOURIN
27, rue Saint-André-des-Arts
75006 Paris

Pour Robert Harrison,
... casu quodam in silvis natus...
(Liv. I, 3.)

GUERRE, PAIX

Une couple d'ennemis brandissant des bâtons se bat au beau milieu de sables mouvants. Attentif aux tactiques de l'autre, chacun répond coup pour coup et réplique contre esquive. Hors le cadre du tableau, nous autres spectateurs observons la symétrie des gestes au cours du temps : quel magnifique — et banal — spectacle !

Or le peintre — Goya — enfonça les duellistes jusqu'aux genoux dans la boue. A chaque mouvement, un trou visqueux les avale, de sorte qu'ils s'enterrent ensemble graduellement. A quel rythme ? Cela dépend de leur agressivité : à lutte plus chaude, mouvements plus vifs et secs, qui accélèrent l'enlisement. L'abîme où ils se précipitent, les belligérants ne le devinent pas : au contraire, de l'extérieur, nous le voyons bien.

Qui va mourir, disons-nous ? Qui va gagner, pensent-ils et dit-on le plus souvent ? Parions. Pontez à droite, vous autres ; sur la gauche nous avons joué. Que le combat soit douteux, cela signifie la nature double de la couple : il y a seulement deux combattants que la victoire, sans plus de doute, départagera. Mais en tierce position, extérieure à leur chamaille, nous repérons un troisième lieu, le marécage, où la lutte s'envase.

Car ici, dans le même doute que les duellistes, les parieurs risquent de perdre tous ensemble, ainsi que les batailleurs, puisqu'il est plus que probable que la terre absorbe ces derniers avant qu'eux-mêmes et les joueurs n'aient liquidé leur compte.

Chacun pour soi, voici le sujet pugnace ; voilà, deuxièmement, la relation combattante, si chaude qu'elle passionne le parterre, qui, fasciné, participe, de ses cris et de ses louis.

Et maintenant : n'oublions-nous pas le monde des choses elles-mêmes, la lise, l'eau, la boue, les roseaux du marécage ? Dans quels sables mouvants pataugeons-nous de conserve, adversaires actifs et malsains voyeurs ? Et moi-même qui l'écris, dans la paix solitaire de l'aube ?

Achille, roi de la guerre, lutte contre un fleuve en crue. Etrange et folle bataille ! Par cette rivière, nous ne savons pas si Homère, au chant XXI de l'*Iliade*, entend le flux croissant des ennemis en furie qui assaillent le héros.

En tout cas, au fur et à mesure qu'il jette au fil de l'eau des cadavres innombrables d'adversaires vaincus et tués, le niveau monte de sorte que le ruisseau, débordé, vient le menacer jusqu'aux épaules. Alors, décontenancé d'une terreur nouvelle, il se débarrasse de l'arc et du sabre, et, les mains libres levées vers le ciel, prie. Gagne-t-il si complètement que, répugnante, sa victoire se renverse en échec ? A la place des rivaux font irruption le monde et les dieux.

De son éclatante vérité, l'histoire dévoile la gloire

d'Achille ou de quelque autre héros, valeureux de gagner leurs lauriers dans la guerre sans limite, indéfiniment recommencée ; la violence, de son éclat morbide, glorifie les vainqueurs de faire marcher le moteur de l'histoire. Malheur aux vaincus !

De cette animale barbarie une première humanisation vint de proclamer les victimes plus heureuses que les meurtriers.

En second lieu, maintenant : que faire de ce fleuve, jadis muet, qui se met à déborder ? La crue vient-elle du printemps ou de la chamaille ? Faut-il distinguer deux batailles : la guerre historique qu'Achille livre à ses ennemis et la violence aveugle faite à la rivière ? Nouveau déluge : le niveau croît. Par bonheur, en ce jour-là, du côté de la guerre de Troie, le feu du ciel asséchа ses eaux ; par malheur, sans promesse d'alliance.

La rivière, le feu et la boue se rappellent à nous.

Nous ne nous intéressons jamais qu'au sang versé, à la chasse à l'homme, aux romans policiers, à la limite où la politique vire au meurtre, nous ne nous passionnons que pour les cadavres des batailles, la puissance et la gloire des affamés de victoire assoiffés d'humilier les perdants, de sorte que les entrepreneurs de spectacle ne nous donnent que des cadavres à voir, mort ignoble qui fonde et traverse l'histoire, de l'*Iliade* à Goya et de l'art académique à la télévision du soir.

De cette répugnante culture, la modernité commence, je le constate, à se lasser ; que dans les temps contemporains on admire moins les gagnants assassins et que manquent d'enthousiasme les applaudissements, après l'ouverture des charniers, pourtant exhibés avec délectation, voilà, je présume, la bonne nouvelle.

Or, dans ces représentations, que l'on espère désormais archaïques, les adversaires, le plus souvent, se battent à mort dans un espace abstrait où ils luttent seuls, sans marécage ni fleuve. Otez le monde autour des combats, ne gardez que les conflits ou les débats, denses d'hommes, purs de choses, vous obtiendrez le théâtre sur les planches, la plupart de nos récits et des philosophies, l'histoire et la totalité des sciences sociales : le spectacle intéressant que l'on appelle culturel. Qui dit jamais où se battent le maître et l'esclave ?

Notre culture a horreur du monde.

Or encore, la lise, ici, aspire les duellistes ; le fleuve, là, menace le pugnace : la terre, les eaux et le climat, le monde muet, les choses tacites placées jadis là comme décor autour des représentations ordinaires, tout cela, qui n'intéressa jamais personne, brutalement, sans crier gare, se met désormais en travers de nos manigances. Fait irruption dans notre culture, qui n'en avait jamais formé d'idée que locale et vague, cosmétique, la nature.

Jadis locale — telle rivière, tel marais —, globale maintenant — la Planète-Terre.

Climat

De l'anticyclone quasi stable sur l'Europe occidentale ces derniers mois d'hiver et d'été 1988-1989, proposons deux interprétations, aussi plausibles l'une que l'autre.

La première : nous pourrions retrouver aisément ou induire, en remontant les décennies archivées ou des millénaires sans mémoire humaine, une semblable séquence de jours chauds et secs. Le système climatique varie de façon forte, mais cependant assez peu, relativement invariant par variations brèves ou lentes, catastrophiques et douces, régulières, chaotiques. Donc les phénomènes rares y frappent, mais ne doivent pas nous étonner.

Des blocs rocheux qui n'avaient pas bougé depuis les flots gigantesques de la déglaciation, à la fin du quaternaire, descendirent, en 1957, charriés par la crue exceptionnelle du Guil, médiocre torrent alpestre. Quand se déplaceront-ils une troisième fois? L'année prochaine ou dans vingt mille ans. Rien dans cet exemple que de naturel et nous n'y pouvons rien.

Des événements rarissimes s'intègrent ou s'acclimatent, comme on dit, dans une météorologie, où devient quasi normal l'irrégulier. Entre dans la règle l'hiver estival: sans histoire.

Cependant s'accroît dans l'atmosphère, depuis la révolution industrielle, la concentration de gaz carbonique, issu de l'usage des combustibles fossiles, augmente la propagation de substances toxiques et de produits acidifiants, croît la présence d'autres gaz à effet de serre: le soleil réchauffe la Terre et celle-ci, comme en retour, rayonne dans l'espace partie de la chaleur reçue; trop renforcée, une voûte d'oxyde carbonique laisserait passer le premier rayonnement, mais emprisonnerait le second; le refroidissement normal se ralentirait dès lors, ainsi que changerait l'évaporation, tout comme au-dessous des châssis d'un jardin d'hiver. L'atmosphère de la Terre risque-t-elle alors de tendre vers celle, invivable, de Vénus?

D'expériences semblables, le passé, même lointain, jamais n'en connut. A cause de nos interventions, l'air varie dans sa composition, et donc ses propriétés physiques et chimiques. En tant que système, va-t-il, du coup, bouleverser son comportement ? Peut-on décrire, estimer, calculer, penser même, piloter enfin ce changement global ? Le climat se réchauffera-t-il ? Peut-on prévoir quelques conséquences de telles transformations et s'attendre, par exemple, au relèvement, subit ou lent, du niveau des mers ? Qu'adviendrait-il, alors, de tous les pays bas, Hollande, Bangladesh ou Louisiane, engloutis sous un nouveau déluge ?

Pour la deuxième interprétation, sous le soleil voici du nouveau, rare et anormal, en ses causes évaluable, mais non dans ses conséquences : la climatologie usuelle peut-elle l'acclimater ?

Il y va de la Terre, dans sa totalité, comme des hommes, dans leur ensemble.

L'histoire globale entre dans la nature ; la nature globale entre dans l'histoire : voilà de l'inédit en philosophie.

La séquence stable de jours chauds et secs dont l'Europe vient de jouir ou de s'inquiéter se réfère-t-elle à nos actes plutôt qu'aux variables jugées naturelles ? La crue viendra-t-elle du printemps ou d'une agression ? A coup sûr, nous ne le savons pas ; mieux encore, tous nos savoirs, à modèles difficilement interprétables, concourent à cette indécision.

Dans ce doute, nous abstiendrons-nous ? Cela manquerait à la prudence, car nous sommes embarqués dans une aventure d'économie, de science et de technique, irréversible ; on peut le regretter, même avec talent et profondeur, mais il en est ainsi et cela dépend moins de nous que de notre héritage d'histoire.

Pari

Il nous faut prévoir et décider. Parier donc, puisque nos modèles peuvent servir à soutenir les deux thèses opposées. Si nous jugeons nos actions innocentes et que nous gagnions, nous ne gagnons rien, l'histoire va comme avant ; mais si nous perdons, nous perdons tout, sans préparation pour quelque catastrophe possible. Qu'à l'inverse nous choisissions notre responsabilité : si nous perdons, nous ne perdons rien ; mais si nous gagnons, nous gagnons tout, en restant les acteurs de l'histoire. Rien ou perte d'un côté, gain ou rien d'autre part : cela ôte tout le doute.

Or cet argument classique vaut, quand un sujet individuel choisit, pour soi, ses actes, sa vie, sa destinée, ses fins dernières ; il conclut certes, mais sans application immédiate, quand le sujet qui doit décider convoque plus que les nations ensemble, l'humanité. Brusquement, un objet local, la nature, sur lequel un sujet, partiel seulement, pouvait agir devient un objectif global, la Planète-Terre, sur laquelle un nouveau sujet total, l'humanité, besogne. L'argument décisif du pari, victorieux logiquement d'une situation indécise, donne donc moins de travail que la construction de cette double intégration.

Mais la conférence de Toronto, l'an passé, celles de Paris, de Londres, de La Haye cette année même, témoignent d'une angoisse qui commence à se répandre. Cela ressemble soudain à une mobilisation générale ! Plus de vingt-cinq pays viennent de signer une convention pour un gouvernement commun du problème. La foule s'amasse comme les nuages, avant l'orage, dont nul ne sait s'il éclatera. Les groupes à l'ancienne concourent à une nouvelle globalité, qui commence à s'intégrer comme la nature semble se totaliser, dans les meilleures œuvres de science.

Alerte aérienne ! Non point danger venant de l'espace, mais risque encouru sur la Terre par les airs : par le temps ou le climat entendus comme système global et condition générale de survie. Pour la première fois, l'Occident, qui déteste les enfants puisqu'il en fait peu et ne veut pas payer l'instruction de ceux qui restent, se mettrait-il à penser à la respiration de ses descendants ? Confiné depuis longtemps dans le court terme, projetterait-il aujourd'hui longuement ? Analytique surtout, la science considérerait-elle un objet en totalité, pour la première fois ? Face à la menace, même les notions se réuniraient-elles, ou les disciplines scientifiques, comme les nations ? Enracinées depuis naguère exclusivement dans leur histoire, nos pensées retrouvent-elles l'essentielle et exquise géographie ? Seule, jadis, à penser le global, la philosophie ne rêverait-elle plus désormais ?

Du problème climatique ainsi posé, dans son indétermination et sa généralité, nous pouvons découvrir les causes prochaines, mais aussi apprécier les conditions profondes et lointaines, enfin chercher de possibles solutions. Dans l'économie, l'industrie, l'ensemble des techniques, la démographie, gisent des raisons immédiates que tout le monde connaît sans pour autant pouvoir agir aisément sur elles. Redoutons aussi que les solutions à court terme, par ces disciplines proposées, ne reproduisent, en les renforçant, les causes du problème.

Moins évidemment apparaissent les causes à long terme, qu'il faut expliciter maintenant.

La guerre

Mobilisation générale ! J'use à dessein du vocable usité au commencement des guerres. Alerte aérienne ! J'utilise délibérément l'appel lancé dans le combat terrestre ou naval.

Soit donc une situation de bataille. Schématiquement, elle met aux prises deux adversaires, seuls ou en nombre, de part et d'autre munis ou non d'armes plus ou moins puissantes, duellistes munis de bâtons, héros armés de sabres et d'arcs. L'engagement achevé, le bilan de la journée ou de la campagne fait déplorer, outre la victoire et la défaite décisives, des pertes : morts et destructions.

Faisons croître vite ces dernières, proportionnelles évidemment à l'énergie des moyens mobilisés. A un maximum connu, nous nous trouvons devant la figure précontemporaine, dans laquelle nous ne savions pas décider si l'arsenal nucléaire, par prévision des dommages infligés, mais partagés, par les belligérants, garantissait ou non la paix relativement stable où vécurent pendant quarante ans les nations qui l'avaient constitué. Quoique nous l'ignorions, nous nous en doutions.

Je ne sache pas que l'on ait remarqué jamais que cette croissance bouleverse en retour le schéma initial, dès lors qu'elle accède à certaine globalité. Nous posions, au départ, deux rivaux face à face, comme dans les sables mouvants de Goya, pour enfin décider d'un vaincu et d'un vainqueur. Or, peut-être par effet de seuil, l'augmentation des moyens et le partage des destructions produisent un étonnant retournement : soudain, les deux ennemis se retrouvent dans le même camp et, loin de se livrer bataille l'un à l'autre, luttent ensemble contre un même troisième concurrent. Lequel ?

La chaleur de l'engagement et l'importance, souvent tragique, des enjeux humains qu'il implique le cachent. Les duellistes ne voient pas qu'ils s'enlisent ni les guerriers qu'ils se noient dans la rivière, ensemble.

Brûlante, l'histoire reste aveugle à la nature.

Dialogue

Examinons une situation analogue. Soit deux interlocuteurs, acharnés à se contredire. Aussi violemment qu'ils s'affrontent, et tant qu'ils acceptent de rester dans une discussion, il leur faut parler une langue commune, pour que le dialogue ait lieu. Il ne peut y avoir contradiction entre deux personnes dont l'une parlerait un langage que l'autre n'entendrait pas.

Pour fermer la bouche à quelque autre, tel change soudain d'idiome : ainsi jadis parlaient latin les médecins, et les collaborateurs, pendant la dernière guerre, allemand, de même que les journaux parisiens d'aujourd'hui écrivent en anglais, pour que le bon peuple, n'y comprenant rien, obéisse, hébété. Nuisibles dans les sciences et en philosophie, presque tous les mots techniques n'ont pour but que de séparer les sectateurs de la paroisse des exclus dont on ne se soucie pas, pour garder quelque pouvoir, qu'ils participent à la conversation.

Plus encore que d'une langue commune, le débat exige que les interlocuteurs usent des mêmes mots dans un sens au moins voisin, au mieux identique. Dit ou non dit, intervient donc un contrat préalable sur un code commun. Cet accord, le plus souvent tacite, précède le débat ou le combat qui, à son tour, suppose un accord ; ce que me paraît signifier le terme de déclaration de guerre, dont le texte ne souffre aucune ambiguïté : contrat de droit qui précède les explosions violentes des conflits.

Par définition, la guerre est un état de droit.

Il n'y a, d'autre part, aucune chamaille verbale possible si, venu d'une nouvelle source, un bruit géant parasite et couvre toute voix. Procédé usuel dans les batailles d'ondes et d'images : le brouillage. Le soir, dans les foyers, la clameur de la télévision fait taire toute discussion. Une vieille publicité de « *La voix de son maître* » montre un chien assis très sage tenant ses oreilles devant un pavillon de gramophone ; nous voici devenus d'obéissants chiots écoutant, passifs, le chahut de nos maîtres. Nous ne discutons plus, c'est le cas de le dire. Pour nous l'interdire, notre civilisation fait hurler moteurs et haut-parleurs.

Et nous ne nous souvenons plus que le mot assez rare de noise, usité seulement au sens de querelle, dans l'expression « chercher noise », et issu de l'ancien français, y signifiait : tumulte et fureur. L'anglais nous a pris le sens du bruit alors que nous conservions celui de la bataille. Plus haut encore, dans le latin originaire, il faisait entendre le halètement de l'eau, hurlement ou clapot. *Nauticus* : navire, nausée (nous vient-il de l'ouïe, le mal de mer ?), noise.

Bref, dans le dialogue, les deux opposants luttent ensemble, dans le même camp, contre le bruit qui pourrait brouiller leur voix et leurs arguments. Entendez-les hausser le ton, de concert, quand survient le brouhaha. Le débat suppose cet accord, encore. La noise ou brouille, au sens de la bataille, suppose une bataille commune contre la brouille ou noise, au sens du bruit.

Du coup, le schéma initial se complète : deux interlocuteurs que nous voyons bien s'acharnent à la contradiction, mais là, présents, veillent deux spectres invisibles sinon tacites, l'ami commun qui les concilie, par le contrat, au moins virtuel, du langage commun et des mots définis, et le commun ennemi contre lequel ils luttent, en fait, de toutes leurs forces conjuguées, ce bruit noiseux, ce brouillage, qui couvrirait jusqu'à l'annuler leur propre tapage. Pour exister, la guerre doit faire la guerre à cette guerre-là. Et nul ne s'en aperçoit.

Voici finalement un jeu à quatre, sur un nouveau dessin, carré ou croisé, demandé par tout dialogue. Les deux disputeurs échangent arguments loyaux ou basses injures, le long d'une diagonale, pendant que, sur la deuxième, en écharpe ou transversalement à eux, le plus souvent à leur insu, leur langue contractuelle se bat pied à pied contre le bruit ambiant pour conserver sa pureté.

Bataille subjective là, je veux dire entre sujets, les adversaires ; mais combat objectif ici, entre deux instances qui n'ont pas de nom, ni de statut juridique, encore, parce que le spectacle phénoménal du dialogue bruyant et enflammé les recouvre toujours et distrait notre attention.

Le débat cache l'ennemi vrai.

On n'échange plus des mots, mais, sans rien dire, des coups. Tel se bat contre tel autre, sujet face au sujet. Bientôt, parce que les poings ne suffisent plus à leur rage, les deux adversaires ramassent des pierres, les affinent, inventent le fer, épées, cuirasses et boucliers, découvrent la poudre, alors la font parler, trouvent des milliers d'alliés, s'assemblent en armées géantes, multiplient leur front de bataille, en mer, sur terre et dans les airs, mettent la main sur la force des atomes, la portent jusqu'aux étoiles, quoi de plus simple et de plus monotone que cette histoire-là ? Voici le bilan à reprendre, au terme de la croissance.

Passons sous silence les millions de morts : dès la déclaration, chaque belligérant savait clairement qu'en cette guerre couleraient du sang et des larmes et en avait accepté le risque et l'issue. Produit quasi volontairement, rien là que de l'attendu. Existe-t-il en ce carnage un seuil de l'intolérable ? Nos histoires ne l'indiquent point.

Passons en outre sur les pertes dites matérielles : vaisseaux, chars et canons, aéronefs, équipements, transports et villes, anéantis. Destructions à nouveau acceptées dès lors que les belligérants ouvrent les hostilités, de moyens construits de main d'homme que les ennemis, si j'ose dire, ont sous la main.

Mais nous ne parlons jamais, dans les mêmes circonstances, des dommages infligés au monde lui-même, dès que le nombre de soldats et les moyens de se battre montent en puissance. A la déclaration de guerre, les belligérants ne les acceptent pas consciemment mais les produisent en réalité ensemble, du fait objectif de la belligérance. Ils les tolèrent à leur insu. Pas de conscience claire de ces risques encourus, sauf, quelquefois, par les misérables, tiers exclus des luttes nobles : la vignette du carré d'avoine dévasté par la bataille chevaleresque, nous ne nous souvenons plus si nous l'avons vue illustrer les anciens manuels d'histoire ou ces livres que l'ancienne école appelait merveilleusement les leçons de choses.

Voici donc une flotte de pétroliers coulés, plusieurs sous-marins atomiques éventrés, quelques bombes thermonucléaires explosées : la victoire subjective dans la guerre subjective de tel contre tel tout à coup compte très peu face aux résultats objectifs de la violence objective déchaînée par les moyens dont disposent les belligérants contre le monde. Et d'autant plus que l'issue atteint un objectif global.

Le recul contemporain devant un conflit mondial vient-il de ce qu'il s'agit désormais des choses plutôt que des hommes ? Et du global plus que du local ? L'histoire s'arrête-t-elle devant la nature ? Voilà au moins comment la Terre devint l'ennemie commune.

Jusqu'à maintenant notre gestion du monde passait par la belligérance, de même que le temps de l'histoire avait la lutte pour moteur. Un changement global s'amorce : le nôtre.

Guerre et violence

J'appellerai donc désormais guerres subjectives celles, nucléaires ou classiques, auxquelles se livrent les nations ou les Etats, en vue d'une dominance temporaire — et pour nous si douteuse depuis que nous constatons que les vaincus de la dernière, pour cette raison désarmés, dominent aujourd'hui l'univers —, et violence objective celle qui oppose tous les ennemis, inconsciemment associés, à ce monde objectif qu'une étonnante métaphore nomme le théâtre des hostilités : scène qui ramène le réel à une représentation où le débat se détache sur un fond en carton-pâte qu'on peut, à loisir, présenter ou démonter. Pour les guerres subjectives, les choses n'existaient pas en elles-mêmes.

Et comme usuellement on dit de ces chamailles qu'elles font le moteur de l'histoire, il vient bien à nouveau que la culture a horreur du monde.

Or si la guerre, ou conflit armé, consciemment, volontairement et dans les formes déclarée, demeure une relation de droit, la violence objective entre dans des voies de fait sans nul contrat préalable.

D'où le nouveau carré, dont le dessin reprend celui que la situation précédente de dialogue traça : sur deux sommets opposés se placent les rivaux du jour, livrant leurs batailles le long d'une diagonale. Nous ne voyons qu'eux : depuis l'aube de l'histoire, ils font tous les spectacles, bruit, fureur, arguments passionnants et disparitions tragiques, assurent toutes les représentations et soutiennent les dialogues. Voici le théâtre de la dialectique, logique des apparences, tenant la rigueur de la première et la visibilité des secondes.

Mais, invisible, tacite, réduit au décor, sur un troisième sommet du même carré, voici le monde mondial, ennemi objectif commun de l'alliance de droit des rivaux de fait. Ensemble et le long de l'autre diagonale, transverse par rapport à la première, ils pèsent de tout leur poids sur les objets, qui supportent les effets de leurs actions. Toute bataille ou guerre finit par se battre contre les choses ou plutôt par leur faire violence.

Et, comme on peut s'y attendre, le nouvel adversaire peut gagner ou perdre.

Aux temps de l'*Iliade* et de Goya, le monde ne passait pas pour fragile ; au contraire, menaçant, il triomphait aisément des hommes, de ceux qui gagnent les batailles et des guerres elles-mêmes. Le sable mouvant absorbe ensemble les deux combattants ; le fleuve menace d'engloutir Achille — vainqueur ? — après avoir charrié les cadavres des vaincus.

Le changement global qui s'amorce aujourd'hui non seulement amène l'histoire au monde, mais transforme aussi la puissance de ce dernier en précarité, en une infinie fragilité. Victorieuse jadis, voici la Terre victime. Quel peintre figurera les déserts vitrifiés par nos jeux de stratégie ? Quel poète clairvoyant se lamentera de l'aurore ignoble aux doigts sanglants ?

Mais on meurt de faim dans les déserts comme d'étouffement dans la lise visqueuse ou de noyade par les fleuves en crue. Vaincu, le monde nous vainc enfin. Sa faiblesse force la force à s'exténuer, donc la nôtre à s'adoucir.

L'accord des ennemis pour entrer en guerre fait, sans accord préalable, violence aux choses mêmes qui peuvent en retour faire violence à leur accord. Le nouveau carré qui fait voir les deux rivaux sur deux sommets opposés restitue la présence, dans les deux autres coins, d'acteurs invisibles et formidables : le monde mondial des choses, la Terre, le monde mondain de nos contrats, le droit. La chaleur et la noise de nos engagements spectaculaires les cachent.

Mieux encore : considérons plutôt la diagonale des guerres subjectives comme la trace, sur le plan du carré, d'un cercle qui tourne. Aussi indénombrables que les vagues de la mer, diverses mais monotones, inévitables comme elles, ces guerres constituaient, disait-on, le moteur de l'histoire, en fait son éternel retour : rien de nouveau sous le soleil que Josué arrêta pour que la bataille s'acharne. Identiques dans leur structure et leur dynamique toujours revenues, elles croissent en extension, ampleur, moyens, résultats. Le mouvement s'accélère, mais dans un cycle infini.

Le carré tourne, debout sur l'un de ses sommets : mouvement de rotation si rapide que la diagonale des rivaux, spectaculairement visible, paraît s'immobiliser, horizontale, invariante par les variations de l'histoire. Du gyroscope ainsi conçu, l'autre diagonale, en croix par rapport à la première, devient l'axe de rotation, d'autant plus immobile que l'ensemble va vite : unique violence objective, orientée de manière de plus en plus stable, dans la direction du monde ; l'axe s'appuie et pèse sur lui. Plus les combats de la première espèce gagnent en moyens, plus la fureur de la deuxième s'unifie et se fixe.

Il s'agit bien d'une limite : certaine histoire prend fin quand l'efficacité, tragique en un nouveau sens et involontaire, de la violence objective remplace l'inutile vanité des guerres subjectives, accroissant leurs armes et multipliant leurs ravages pour une décision, voulue et recherchée, de victoire, qu'il faut reprendre à intervalles toujours plus rapprochés, tant s'amenuise la durée des empires.

La dialectique se ramène au retour éternel et l'éternel retour des guerres nous amène au monde. Ce qu'on appelle histoire depuis plusieurs siècles arrive à ce point d'accumulation, à cette frontière, à ce changement global.

Droit et histoire

On doit définir la guerre comme l'une des relations de droit entre les groupes ou les nations : état de fait, certes, mais surtout de droit. Depuis les temps archaïques des premières lois romaines et sans doute encore plus avant, elle ne dure que des procédures bien précises de la déclaration jusqu'à celles d'un armistice, dûment signé par des responsables, dont l'une des attributions principales leur confère justement le pouvoir de décider de l'ouverture et de l'arrêt des hostilités. La guerre se caractérise non point par l'explosion brute de violence mais par son organisation et son statut de droit. Et, du coup, par un contrat : deux groupes décident, d'un commun accord sur lequel ils statuent, de s'adonner à des batailles, rangées ou autres. Nous retrouvons, conscient sinon écrit, le contrat tacite des disputeurs de tantôt.

L'histoire commence avec la guerre, entendue comme fermeture et stabilisation des engagements violents dans des arrêts juridiques. Le contrat social qui nous fit naître naît peut-être avec la guerre ; elle suppose un accord préalable qui se confond avec le contrat social.

Avant lui ou à côté de lui, dans le déchaînement sans autre frein de la violence pure et de fait, originelle, inextinguible, les groupes couraient sans cesse le risque d'extinction parce que, s'engendrant soi-même, la vengeance ne s'arrête pas. Les cultures qui n'inventèrent pas ces procédures de limitation dans le temps, effacées de la surface de la terre, ne peuvent plus témoigner de ce danger. Existèrent-elles même ? Tout se passe comme si ce contrat de guerre avait filtré notre survie et fait naître notre histoire, en nous sauvant de la violence pure, et de fait, mortelle.

Violence avant ; guerre après ; contrat de droit au passage.

Ainsi, Hobbes se trompe d'une ère entière, quand il appelle « guerre de tous contre tous » l'état qui précède le contrat, parce que la belligérance suppose ce pacte dont dix philosophies tentent d'expliquer l'apparition. Quand tous se battent contre tous, il n'y a pas état de guerre, mais violence, crise pure et déchaînée, sans arrêt possible, et menace d'extinction de la population qui s'y adonne. En fait et par le droit, la guerre même nous protège contre la reproduction indéfinie de violence.

Jupiter, dieu des lois et du sacré, nous en préserve, donc ; Quirinus, dieu de l'économie, nous en écarte, certes, aussi ; mais, sans paradoxe aucun, Mars, dieu de la guerre, nous en protège en quelque façon, et même plus directement : parce qu'elle fait intervenir le judiciaire au sein des relations agressives les plus primitives. Qu'est-ce qu'un conflit ? La violence plus quelque contrat. Or comment pourrait apparaître ce dernier sinon comme régulation première de ces primitives relations ?

Moteur de l'histoire, la guerre la commence et la lança. Mais comme, dans le corset du droit, elle suit la dynamique répétitive de la violence, le mouvement induit par elle, suivant toujours les mêmes lois, mime un Eternel Retour. Au fond, nous nous livrons toujours aux mêmes conflits et la décision présidentielle de libérer une charge nucléaire imite le geste du consul romain ou du pharaon d'Egypte. Seuls ont changé les moyens.

Les guerres que j'appelle subjectives se définissent donc par le droit : elles commencent avec l'histoire et l'histoire commence avec elles. La raison juridique a sans doute sauvé les sous-ensembles culturels locaux dont nous sommes issus de l'extinction automatique à laquelle la violence auto-entretenue condamna sans appel ceux qui ne l'inventèrent pas.

Or s'il existe un droit, donc une histoire, pour les guerres subjectives, il n'en existe aucun pour la violence objective, sans limite ni règle, donc sans histoire. La croissance de nos moyens rationnels nous entraîne, à une vitesse difficile à estimer, dans la direction de la destruction du monde qui, par un effet en retour assez récent, peut nous condamner tous ensemble, et non plus par localités, à l'extinction automatique. Nous revenons soudain aux temps les plus anciens dont seuls les philosophes théoriciens du droit ont gardé, dans et par leurs conceptions, la mémoire, quand nos cultures, sauvées par un contrat, inventèrent notre histoire, définie par l'oubli de l'état qui la précéda.

Dans des conditions très différentes de cet état premier, mais cependant parallèles à elles, il nous faut donc, à nouveau, sous menace de mort collective, inventer un droit pour la violence objective, exactement comme des ancêtres inimaginables inventèrent le plus ancien droit qui amena, par contrat, leur violence subjective à devenir ce que nous appelons des guerres. Nouveau pacte, nouvel accord préalable, que nous devons passer avec l'ennemi objectif du monde humain : le monde tel quel. Guerre de tous contre tout.

Qu'on doive renouer avec le fondement d'une histoire montre à l'évidence qu'on en voit la fin. S'agit-il de la mort de Mars ? Qu'allons-nous faire de nos armées ? On entend souvent, dans les gouvernements, cette étonnante question revenue.

Mais il s'agit de plus que cela : de la nécessité de revoir et de resigner même le contrat social primitif. Ce dernier nous réunit pour le meilleur et pour le pire, selon la première diagonale, sans monde ; maintenant que nous savons nous associer face au danger, il faut envisager, le long de l'autre diagonale, un pacte nouveau à signer avec le monde : le contrat naturel.

Se croisent ainsi les deux contrats fondamentaux.

Concurrence

Que l'on passe de la guerre aux rapports économiques et rien de notable ne change dans le raisonnement. Quirinus, dieu de la production, ou Hermès, qui préside aux échanges, peuvent endiguer la violence plus efficacement parfois que Jupiter ou Mars et usent, pour ce faire, des mêmes procédés que ce dernier. Dieu unique en plusieurs personnes, Mars appelle guerre ce que les deux premiers nomment concurrence : poursuite des opérations militaires par d'autres moyens, exploitation, marchandises, argent ou information. Plus caché encore, le vrai conflit reparaît. Se reconduit le même schéma : par leur laideur et les ordures qu'accidentellement ils répandent, les usines chimiques, les grands élevages d'animaux, les centrales atomiques ou les pétroliers géants ramènent la violence objective globale sans autres armes que la puissance de leur taille, ni autre finalité que la recherche, commune et contractuelle, de la dominance sur les hommes.

Appelons objet-monde un artefact dont l'une des dimensions au moins, temps, espace, vitesse, énergie... atteint l'échelle du globe : parmi ceux que nous savons construire, bombe ou satellite, nous distinguons les militaires d'autres purement économiques ou techniques, alors qu'ils produisent de semblables résultats, dans des vicissitudes aussi rares mais fréquentes que les guerres et les accidents.

Alliés de fait pour les mêmes raisons et contrats que tantôt, les concurrents pèsent de tout leur poids sur le monde.

Nous

Mais qui se trouve sur le quatrième sommet du carré ou à l'extrémité de la tige gyroscopique ? Qui donc fait violence au monde mondial ? Que recouvrent nos accords tacites ? Peut-on dessiner une figure globale du monde mondain, de nos contrats strictement sociaux ?

Sur la Planète-Terre interviennent désormais moins l'homme comme individu et sujet, ancien héros guerrier de la philosophie et conscience historique à l'ancienne, moins le combat canonisé du maître et de l'esclave, en couple rare dans les sables, moins les groupes analysés par les vieilles sciences sociales, assemblées, partis, nations, armées, tous petits villages, que, massivement, des plaques humaines immenses et denses.

Visible la nuit par satellite comme la plus grosse galaxie de lumière du globe, en tout plus peuplée que les Etats-Unis, la supergéante mégalopole Europe part de Milan, franchit les Alpes par la Suisse, longe le Rhin par l'Allemagne et le Benelux, prend l'Angleterre en écharpe après avoir traversé la mer du Nord et finit à Dublin, passé le canal Saint-George. Ensemble social comparable aux Grands Lacs ou à l'inlandsis du Groenland par sa taille, l'homogénéité de son tissu et son emprise sur le monde, cette plaque bouleverse depuis longtemps l'albédo, la circulation des eaux, la chaleur moyenne et la formation des nuages ou des vents, pour tout dire les éléments, plus le nombre et l'évolution des espèces vivantes, dans, sur et sous son territoire.

Le rapport de l'homme et du monde, aujourd'hui, le voilà.

Un acteur contractuel majeur de la communauté humaine, à l'orée du deuxième millénaire, pèse au moins un quart de milliard d'âmes. Non en poids de chair, mais par ses réseaux croisés de relations et le nombre des objets-monde dont il dispose. Il se comporte comme une mer.

Il suffit d'observer la Terre par satellite, la nuit, pour y reconnaître ces grandes taches denses: le Japon, la mégalopole d'Amérique du Nord-Est, de Baltimore à Montréal, cette cité Europe, troupeau énorme de monstres que Paris semble garder comme un berger, de loin, et le cordon discontinu des Dragons, Corée, Formose, Hong Kong, Singapour... Inégalement répartie, la croissance démographique, déjà verticale, s'agglutine et se concentre en des ensembles géants, colossales banques d'hommes équipotentes aux océans, aux déserts ou aux inlandsis, eux-mêmes stocks de glace, de chaleur, de sécheresse ou d'eau ; relativement stables, ces immenses ensembles se nourrissent d'eux-mêmes, avancent et pèsent sur la planète, pour le pire et le meilleur.

Noyé en ces gigantesques masses, l'acteur individuel peut-t-il dire encore « je », alors que les groupes anciens, si menus, énoncent déjà un « nous » dérisoire et désuet ?

Fondu ou distribué jadis sur cette Terre parmi les forêts ou les montagnes, les déserts et les banquises, léger de corps comme d'os, disparaissait le sujet. Il ne fallait pas que l'univers s'armât pour l'écraser : une vapeur, une goutte d'eau suffisait pour le tuer ; englouti comme un point, voilà l'homme de naguère, sur qui le climat gagnait la guerre.

A supposer qu'un satellite, en ces ères, eût survolé la plaine, quel observateur, à bord, eût pu deviner la présence, là, de deux paysans debout, à l'heure où sonnait l'*Angélus* de Millet ? Immergés dans l'être-au-monde, liés indissolublement l'un-avec-l'autre, leurs instruments aratoires sous la main, les pieds enfoncés, à la mort, dans la glèbe traditionale, plongés sous l'horizon, ils-sont-là, écoutant pieusement le langage de l'être et du temps, lorsque passe l'ange, porteur horaire du verbe. Rien de moins ni de plus dans nos philosophies paysannes ou forestières que sur les tableaux nostalgiques et convenus.

Fragile roseau courbé, l'homme pense, sachant qu'il va mourir de cet univers qui, lui, ne sait pas qu'il le tue ; plus noble donc, plus digne que son vainqueur parce qu'il le comprend.

Nul dans l'univers, dissous dans le local de l'être-là, l'homme donc n'accédait point à l'existence physique : voilà son état, sans poids de nature, à l'heure de l'*Angélus* de Millet ou des ontologies agricoles. Au temps présent voici qu'il devient une variable physique, par échange de puissance, de faiblesse et de fragilité. Non plus englouti comme un point sans dimension, il existe comme ensemble, dépasse le local pour s'étendre sur d'immenses plaques, astronomiquement observables, au même titre que les océans. Non seulement il peut s'armer pour écraser l'univers, par les sciences et les techniques, ou s'équiper pour le piloter, mais il pèse sur lui par la masse de sa seule présence assemblée : l'être-là va de Milan jusqu'à Dublin. Si le vaincu acquiert une dignité que perd celui qui le vainc, alors noble devient notre monde.

La Muraille de Chine, dit-on, se voit de la Lune ; par croissance et rassemblements denses, nous venons, ainsi, de dépasser une taille critique de sorte qu'agglutinés, les points de Pascal ont fini par former des variétés : surfaces, volumes et masses. Or nous commençons à comprendre le rôle des grands stocks dans le régime et l'évolution du globe, les fonctions propres et conjuguées des mers, atmosphère, déserts et glaciers géants. Il existe désormais des lacs d'hommes, acteurs physiques dans le système physique de la Terre. L'homme est un stock, le plus fort et connecté de la nature. Il est un être-partout. Et lié.

En s'assemblant, par contrat social, racontaient les anciens philosophes, les hommes forment un gros animal. Des individus aux groupes, nous montions en taille mais descendions de la pensée à la vie brute, écervelée ou machinale, tant il reste vrai qu'en disant « nous », la publicité ou essence du public n'a jamais vraiment su ce qu'elle disait ou pensait ; au-delà donc, pour la taille critique, mais en deçà, dans l'échelle des êtres.

Paissant l'herbe verte ou l'avoine moissonnée, cherchant de temps en temps qui dévorer, cette harde composée de Léviathans, presque aussi légère que l'être-là, dispersée parmi les labourages et les pâturages, pouvait être négligée au bilan du système physique de la planète, quoiqu'elle comptât un peu dans l'équilibre et l'évolution des espèces vivantes dont elle faisait partie : ogres parmi d'autres monstres.

En croissant au-delà du Léviathan, passé une masse critique, l'ensemble monte du monstre à la mer, en tombant du vivant à l'inerte, naturel ou construit. Oui, les mégalopoles deviennent des variables physiques : elles ne pensent ni ne paissent, elles pèsent.

Ainsi le prince, ancien pasteur de bêtes, devra devenir pilote ou cybernéticien, physicien dans tous les cas.

Se complètent, se transforment et s'inversent même les relations de l'homme et du monde.

Nul physiquement, animal pensant noyé parmi des espèces mieux adaptées que la sienne, l'individu ou l'être-là obtient autant d'effet sur le monde global que le papillon dont Swift écrit qu'un battement d'aile en un désert d'Australie retentira sur les prairies de la verte Erin, peut-être demain ou dans deux siècles, sous forme d'orage ou de brise caressante, selon la chance. L'« ego » du « cogito » a la même puissance et la même causalité ou portée lointaines que cette aile frémissante de lépidoptère ; à la stridulation des élytres d'un grillon qui grésille équivaut la pensée.

Disons-la équipotente à cette échelle d'événements : pas plus, mais pas moins. Alors qu'il arrive, improbablement, qu'il déchaîne au loin les puissances d'un cyclone, le plus fréquemment, même toujours sauf rarissimes exceptions, nul demeure son effet. Pensée zéro ou formidablement puissante, selon.

Certes la chaîne locale gagne de l'efficacité, lorsque la pensée se limite au dessein de monter un mur de pierres ou de dresser un bœuf de labour. Mais rien là ne concerne la nature globale, la seule décisive aujourd'hui.

Toute l'histoire des sciences consiste à rendre constante, à contrôler, à maîtriser cette chaîne, hautement improbable, de la pensée-papillon à l'effet-ouragan. Et justement, passer de cette cause douce à ces conséquences dures, voilà définie la globalisation contemporaine.

Nul encore physiquement, le groupe à l'ancienne, Léviathan vivant, n'avait d'efficacité que biologique comme de pensée que brute. Par gros animal interposé, nous avons tellement gagné la lutte pour la vie contre les autres espèces de flore et de faune que, parvenus à un seuil, nous redoutons que la victoire, soudain, ne se retourne en défaite.

Nous voici parvenus à des tailles telles que nous existons enfin physiquement. Devenu bête en commun, l'individu pensant, multiplement associé, se change en pierre. Sur laquelle se fonde le nouveau monde. Elles équivalent bien à maints déserts, les architectures dures et chaudes des mégalopoles ; à des groupes de sources, de puits, de lacs — flots supérieurs à ceux du petit fleuve d'Achille, landes mouvantes tellement plus grandes que les sables de Goya — ou à un océan, ou à une plaque tectonique rigide et mobile. Nous existons enfin naturellement. L'esprit a crû en bête et la bête croît en plaque.

Nous occupons désormais toute l'échelle des êtres, spirituels, vivants et inertes : je pense comme individu ; nous vivions comme des animaux collectifs ; nos ensembles accèdent au devenir des mers. Nous n'avons pas seulement envahi l'espace du monde, mais, si j'ose dire, l'ontologie. Premiers dans la pensée ou la communication, les mieux informés des êtres organisés, les plus actifs des ensembles matériels. L'être-partout ne se diffuse pas seulement dans l'étendue mais dans les règnes de l'être.

Ma causalité cogitante en aile de papillon se double de nos effets vitaux sur les espèces, maintenant accède à l'action purement physique. En tout cas, j'étais, je suis encore évidemment un acteur local des sciences dures et douces ; désormais je suis un agent global improbable des sciences physiques, mais nous sommes ensemble efficaces et lourds dans toutes les sciences naturelles, universellement. Vient de changer de camp la fragilité.

Voici qui se trouve sur le quatrième sommet du carré ou à l'extrémité de la tige gyroscopique : l'être-au-monde transformé en être équipotent au monde.

Et cette équipotence fait le combat douteux.

La nature globale, la Planète-Terre en sa totalité, siège d'interrelations réciproques et croisées entre ses éléments locaux et ses sous-ensembles géants, océans, déserts, atmosphère ou stocks de glace, est le nouveau corrélat de ces nouvelles plaques d'hommes, sièges d'interrelations réciproques et croisées entre les individus et les sous-groupes, leurs outils, leurs objets-monde et leurs savoirs, rassemblements qui peu à peu perdent les rapports avec le lieu, la localité, le voisinage ou la proximité. Se fait rare l'être-là.

Voilà l'état, le bilan équilibré, de nos relations avec le monde, au commencement d'un temps où l'ancien contrat social devrait se doubler d'un contrat naturel : en situation de violence objective, il n'y a d'autre issue que de le signer.

Au minimum, la guerre ; à l'optimum, la paix

Connaître

De même, la situation de connaissance ne met jamais en rapport un individu avec son objet, tant la solitude dérive vite vers le délire et l'erreur inventifs, mais un ensemble croissant de chercheurs qui se contrôlent les uns les autres avec le découpage défini et accepté par eux d'une spécialité.

L'ancien sujet imaginaire de la connaissance, retranché dans son poêle pour évoquer le Diable et le Bon Dieu, ou replié sous ses conditions transcendantales, laisse la place, dès l'origine de la science, à un groupe, réuni ou dispersé dans l'espace et le temps, que domine et que règle un accord. On a pu dire ce dernier consensuel ou au contraire traversé sans cesse de polémiques et de débats : l'un et l'autre restent vrais selon les lieux du savoir ou les moments de l'histoire ; et ceux qui se battent contractent accord, encore mieux ici que tantôt.

Cette guerre ou cette paix en somme se fondent sur un contrat tacite qui rassemble les savants, comme tantôt les interlocuteurs raffinés, les soldats ou les concurrents de l'économie, et qui ressemble au vieux contrat social. Avant ce contrat-là il n'y a pas plus de science qu'il n'y avait de société avant celui-ci. Aux plus lointaines origines grecques de la plus haute rigueur, les premiers savants, assemblés ou dispersés, discutent plus encore qu'ils ne démontrent, juristes autant que géomètres.

Ainsi défini comme le lien qui unit les participants à l'entreprise scientifique, le sujet de la connaissance se ramène moins, comme on l'a cru parfois, à un langage commun, oral ou écrit, si fluctuant et divers, que, derrière ou sous celui-ci, à un contrat, tacite et stable, dont le sujet de droit est le sujet de la science : virtuel, actuel, formel, opérationnel.

Racontons banalement ses avatars : l'individu entre dès l'enfance en relation avec la communauté déjà liée par ce contrat ; bien avant de se mettre à examiner les objets de la spécialité, il se présente devant des jurys habilités qui décident ou non de le recevoir parmi les doctes ; après avoir doctement œuvré, il se présente à nouveau devant d'autres instances qui décident ou non de recevoir son œuvre dans leur langue canonisée. Pas de connaisseur sans le premier arrêt, sans le second pas de connaissance. Vécu par l'ancien sujet individuel, moi ou vous, receveur ou transmetteur obéissant, éventuel producteur inventif, de savoir, le processus de connaissance court de procès en causes, d'arrêts en élections, donc ne quitte jamais l'aire juridique. Les sciences procèdent par contrats. La certitude, la vérité scientifiques dépendent, en fait, autant de tels jugements que ceux-ci de celles-là.

L'histoire des sciences souvent se confond avec celle des prononcés de cours ou instances savantes et autres, nous le verrons en abondance. Le savoir reconnu comme scientifique découle de cette épistémodicée ; j'entends par ce mot nouveau l'ensemble des relations de la science et du droit, de la raison et du jugement.

Les tribunaux de la connaissance connaissent des causes, fréquemment conflictuelles, avant de connaître les choses, souvent paisibles, même si les savants connaissent les choses avant de se battre sur les causes. En science le droit anticipe le fait comme les sujets précèdent l'objet ; mais le fait anticipe le droit comme l'objet précède le sujet.

Donc le contrat de droit qui accorde les savants a rapport avec les choses, les découvre, les analyse, les constitue comme objets de science. Là encore, un monde mondain, accordé par contrat, entre en rapport avec le monde mondial accordé par des lois dont nous ne savons pas décrire le rapport avec les lois juridiques des tribunaux qui connaissent de nos causes.

Autrement dit, la connaissance scientifique résulte du passage qui fait de la cause une chose et de celle-ci celle-là, par où un fait devient un droit et inversement. Elle est la transformation réciproque de la cause en chose et du droit au fait : d'où s'explique sa double situation de convention arbitraire, d'une part, que l'on voit dans toute théorie spéculative, et d'objectivité fidèle et exacte fondant toute application.

Du coup, le rapport du droit au fait, du contrat au monde, que nous avons constaté dans le dialogue, la concurrence et les conflits se reconduit tel quel dans la connaissance scientifique : par définition et dans son fonctionnement réel, la science est une relation continuée entre le contrat qui unit les savants et le monde des choses. Et cette relation, unique dans l'histoire humaine, tellement miraculeuse que, depuis Kant et

Einstein, nous ne cessons pas de nous en étonner, de la convention et du fait, n'a pas reçu de nom juridique. On dirait ici que la décision humaine a rencontré celle des objets. Cela n'arrive jamais que dans les miracles et les sciences !

Il s'agit d'un droit, donc d'une convention arbitraire. Mais il concerne les faits, établis et contrôlés, ceux de la nature. La science joue donc, depuis son établissement, le rôle de droit naturel. Cette expression consacrée recouvre une contradiction profonde, celle d'un arbitraire et d'une nécessité. La science recouvre la même, exactement aux mêmes lieux. La physique est le droit naturel : elle joue ce rôle depuis son aurore. Furent battus à leur propre jeu les cardinaux, qui défendaient le second, face à Galilée, attaché à la première.

Qui alors peut s'étonner de ce que la question du droit naturel dépende aujourd'hui étroitement de la science, qui décrit en outre la place des groupes dans le monde ? Car, de plus, ce collectif savant, minuscule sous-ensemble de la grande plaque, trouve aussi devant lui d'autres collectifs avec lesquels il entretient des rapports classiques, consensuels ou agressifs, à régler par des contrats ordinaires.

Du coup, la situation primitive de combat se retrouve dans la connaissance. Là comme plus haut, un collectif qu'unit un accord se trouve face au monde en un rapport, non dominé, non géré, de violence non consciente : maîtrise et possession.

L'origine de la science ressemble comme une sœur à celle des sociétés humaines : sorte de contrat social, le pacte de connaissance contrôle mutuellement les expressions du savoir. Mais il ne fait pas la paix avec le monde, quoique plus proche de lui.

Quoi d'étonnant que nous entendions aujourd'hui plaider contradictoirement des bienfaits ou des méfaits d'une connaissance ou d'une raison qui elle-même juge depuis plus de deux millénaires ? Voici plus de trois cents ans, une *Théodicée* fameuse décida de la cause des souffrances et du mal et trancha des responsabilités tragiques du Créateur : nous ne savons pas devant quel tribunal ni dans quelles formes disputer aujourd'hui d'une semblable affaire, où il y va de nouveau des biens et des maux, mais où le producteur rationnel et responsable prévisionnel a depuis longtemps réintégré la collectivité humaine. *Epistémodicée*, voilà un titre exact et possible de ce livre, trop laid cependant pour qu'on l'adopte.

La science somme fait et droit : d'où sa place aujourd'hui décisive. En situation de contrôler ou de violenter le monde mondial, les groupes savants se préparent à piloter le monde mondain.

Beauté

Etre même de beauté, rien n'est aussi beau que le monde ; rien de beau ne se produit sans ce donateur gracieux de toutes les magnificences. Parmi les atrocités de la guerre de Troie, Homère aveugle chante l'aurore aux doigts de rose ; de la fierté des taureaux descend la force de Goya, dont l'œuvre peint se lamente de semblables et plus récentes horreurs. A qui se détache des batailles parce qu'une sagesse, même moyenne, les fait paraître vaines, sinon inhumaines, ou ne veut pas payer d'ignominie ses pires envies, le monde mondial offre aujourd'hui le visage douloureux de la beauté mutilée. L'étrange et timide éclat de l'aube va-t-il se blesser de nos brutalités ?

De l'équivalence, de l'identité, de la fusion du monde mondial et du monde mondain surgit la beauté. Donc elle dépasse le réel du côté de l'humain et l'humain du côté du réel, et, dans les deux cas, les sublime tous deux. L'épistémologie et l'esthétique, celle-ci en ses deux sens, discoururent, sans pouvoir l'expliquer, de l'harmonie du rationnel et du réel, miracle qui stupéfia, je le répète, Kant ou Einstein, d'autres encore, et les laissa sans voix.

D'un vieux mot de la langue sacrée, qui signifiait souillure et profanation, insulte, viol et déshonneur, nous appelons la rupture de cette équipollence : pollution. Comment des paysages divins, la montagne sainte et la mer au sourire innombrable des dieux, ont-ils pu se transformer en des champs d'épandage ou réceptacles abominables de cadavres ? Par dispersion de l'ordure matérielle et sensorielle, nous recouvrons ou effaçons la beauté du monde et réduisons la prolifération luxueuse de ses multiplicités à l'unicité désertique et solaire de nos seules lois.

Plus terrifiant que la probabilité, encore toute spéculative, d'un déluge, un tel déferlement mortifère pose le même problème d'histoire, de droit et de philosophie, de métaphysique même, mais en l'inversant, que naguère posa l'énigme de la beauté. L'équivalence, la rencontre des deux mondes, chant d'harmonie et d'allégresse, marqua, jadis, l'optimisme et le bonheur de nos aïeux — parmi les horreurs des combats ou débats, nul ne pouvait les priver du monde — comme notre inquiétude branle de leur rupture.

Que si notre rationnel épousait le réel, et le réel

notre rationnel, nos entreprises raisonnées ne laisseraient pas de résidu ; or si l'ordure foisonne dans l'écart qui les sépare, c'est que celui-ci produit la pollution : elle comble la distance du rationnel au réel. Or comme l'immondice croît, le divorce entre les deux mondes s'aggrave. La laideur s'ensuit de la dysharmonie et réciproquement. Faut-il démontrer encore que notre raison fait violence au monde ? Ne ressentirait-elle plus le besoin vital de la beauté ?

La beauté requiert la paix ; la paix suppose un contrat nouveau.

Paix

Les peuples et les Etats n'ont trouvé jusqu'à ce jour aucune raison forte ni concrète de s'associer, pour instaurer entre eux une trêve longue, sauf l'idée formelle d'une paix perpétuelle, abstraite et dérisoire, parce que les nations pouvaient se considérer, prises ensemble, comme seules au monde. Rien ni personne ni aucun collectif ne se trouvait au-dessus d'elles, et donc aucune raison.

Depuis que Dieu est mort, ne nous reste que la guerre.

Mais dès lors que le monde même entre avec leur assemblée, même conflictuelle, dans un contrat naturel, il donne la raison de la paix, en même temps que la transcendance recherchée.

Nous devons décider la paix entre nous pour sauvegarder le monde et la paix avec le monde afin de nous sauvegarder.

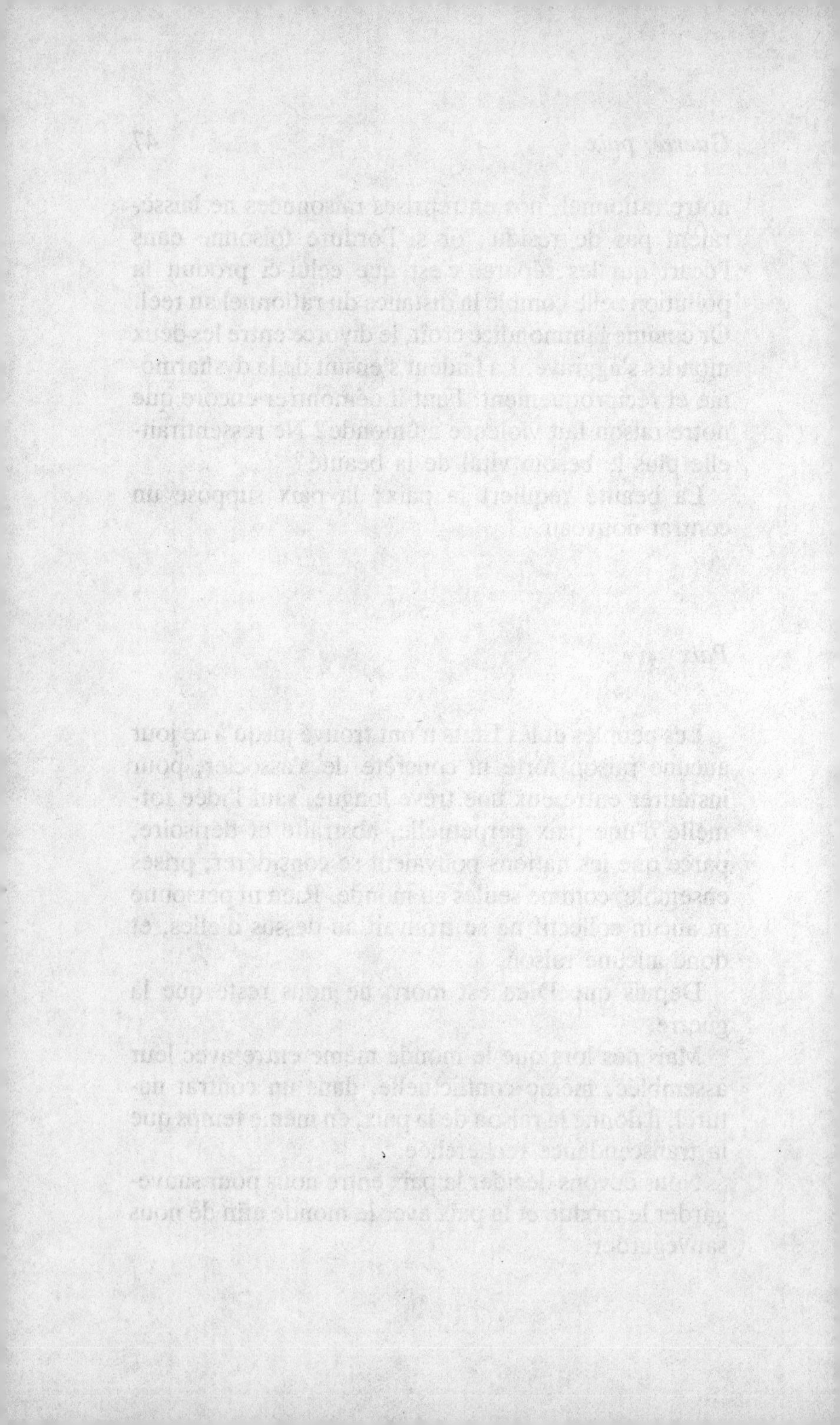

CONTRAT NATUREL

Les deux temps

Par chance ou sagesse, la langue française use d'un seul mot pour dire le temps qui passe et coule – *time, zeit* – et le temps qu'il fait – *weather, wetter* –, issu du climat et de ce que nos anciens nommaient les météores.

Vers le second, aujourd'hui, se tournent donc notre expertise et nos inquiétudes, parce que notre savoir-faire industrieux intervient peut-être catastrophiquement dans cette nature globale dont les mêmes anciens pensaient qu'elle ne dépendait pas de nous. Désormais, non seulement elle en dépend, sans doute, mais, en retour, nous dépendons, pour notre vie, de ce système atmosphérique mouvant, inconstant mais assez stable, déterministe et stochastique, muni de quasi-périodes dont les rythmes et les temps de réponse varient colossalement.

Comment le faisons-nous varier ? Quels déséquilibres graves adviendront, quel changement global faut-il attendre, dans l'ensemble du climat, de nos activités industrielles et de notre capacité technique, croissantes, qui versent dans l'atmosphère des milliers de tonnes d'oxyde de carbone et autres déchets toxiques ? Nous ne savons pas, pour le moment, estimer les transformations générales sur une telle échelle de grandeur et de complexité, sans doute et surtout même ne savons-nous pas penser les rapports entre le temps qui passe et le temps qu'il fait : un seul mot pour deux réalités qui paraissent disparates. Car du changement global, des équilibres et de leurs attracteurs, connaissons-nous modèle plus riche et plus complet que celui du climat et de l'atmosphère ? Nous voilà enfermés dans un cercle vicieux.

Autrement dit : quels dangers courons-nous ? Avant tout : à partir de quel seuil et de quelle date ou limite temporelle un risque majeur apparaît-il ? Dans l'ignorance temporaire des réponses à ces questions, la prudence — et les politiques — demandent : que faire ? Quand le faire ? Comment et que décider ?

D'abord : qui décidera ?

Paysan et marin

Deux hommes jadis vivaient plongés dans le temps extérieur des intempéries : le paysan et le marin, dont l'emploi du temps dépendait, heure par heure, de l'état du ciel et des saisons ; nous avons perdu toute mémoire de ce que nous devons à ces deux types d'hommes, des techniques les plus rudimentaires aux plus hauts raffinements. Certain texte grec ancien divise la terre en deux zones : celle où un même outil passait pour une pelle à grains et celle où les passants reconnaissaient en lui un aviron. Or ces deux populations disparaissent progressivement de la surface de la terre occidentale ; excédents agricoles, vaisseaux de fort tonnage transforment la mer et le sol en déserts. Le plus grand événement du XXe siècle reste sans conteste la disparition de l'agriculture comme activité pilote de la vie humaine en général et des cultures singulières.

Ne vivant plus qu'à l'intérieur, plongés exclusivement dans le premier temps, nos contemporains, tassés dans les villes, ne se servent ni de pelle ni de rame, pis, jamais n'en virent. Indifférents au climat, sauf pendant leurs vacances, où ils retrouvent, de façon arcadienne et pataude, le monde, ils polluent, naïfs, ce qu'ils ne connaissent pas, qui rarement les blesse et jamais ne les concerne.

Espèces sales, singes et automobilistes, vite, laissent tomber leurs ordures, parce qu'ils n'habitent pas l'espace par où ils passent et se laissent donc aller à le souiller.

Encore un coup : qui décide ? Savants, administrateurs, journalistes. Comment vivent-ils ? Et d'abord, où ? Dans des laboratoires, où les sciences reproduisent les phénomènes pour les mieux définir, dans des bureaux ou studios. Bref, à l'intérieur. Jamais plus le climat n'influence nos travaux.

De quoi nous occupons-nous ? De données numériques, d'équations, de dossiers, de textes juridiques, des nouvelles sur le marbre ou les téléscripteurs : bref, de langue. Du langage vrai dans le cas de la science, normatif pour l'administration, sensationnel pour les médias. De temps en temps, tel expert, climatologue ou physicien du globe, part en mission pour recueillir sur place des observations, comme tel reporter ou inspecteur. Mais l'essentiel se passe dedans et en paroles, jamais plus dehors avec les choses. Nous avons même muré les fenêtres, pour mieux nous entendre ou plus aisément nous disputer. Irrépressiblement, nous communiquons. Nous ne nous occupons que de nos propres réseaux.

Ceux qui, aujourd'hui, se partagent le pouvoir ont oublié une nature dont on pourrait dire qu'elle se venge mais qui, plutôt, se rappelle à nous qui vivons dans le premier temps et jamais directement dans le second, dont nous prétendons parler cependant avec pertinence et sur lequel nous avons à décider.

Nous avons perdu le monde : nous avons transformé les choses en fétiches ou marchandises, enjeux de nos jeux de stratégie ; et nos philosophies, acosmistes, sans cosmos, depuis tantôt un demi-siècle, ne dissertent que de langage ou de politique, d'écriture ou de logique.

Au moment même où physiquement nous agissons pour la première fois sur la Terre globale, et qu'elle réagit sans doute sur l'humanité globale, tragiquement, nous la négligeons.

Terme long et court

Mais dans quel temps, derechef, vivons-nous, même quand il se réduit à celui qui passe et coule ? Réponse aujourd'hui universelle : dans le très court terme. Pour sauvegarder la Terre ou respecter le temps, au sens de la pluie et du vent, il faudrait penser vers le long terme, et, pour n'y vivre pas, nous avons désappris à penser selon ses rythmes et sa portée. Soucieux de se maintenir, le politique forme des projets qui dépassent rarement les élections prochaines ; sur l'année fiscale ou budgétaire règne l'administrateur et au jour la semaine se diffusent les nouvelles ; quant à la science contemporaine, elle naît dans des articles de revue qui ne remontent presque jamais en deçà de dix ans ; même si les travaux sur le paléo-climat récapitulent des dizaines de millénaires, ils ne datent pas eux-mêmes de trois décennies.

Tout se passe comme si les trois pouvoirs contemporains, j'entends par pouvoirs les instances qui, nulle part, ne rencontrent de contre-pouvoirs, avaient éradiqué la mémoire du long terme, traditions millénaires, expériences accumulées par les cultures qui viennent de mourir ou que ces puissances tuent.

Or nous voici en face d'un problème causé par une civilisation en place depuis maintenant plus d'un siècle, elle-même engendrée par les cultures longues qui la précédèrent, infligeant des dommages à un système physique âgé de millions d'années, fluctuant et cependant relativement stable par variations rapides, aléatoires et multiséculaires, devant une question angoissante dont la composante principale est le temps et spécialement celui d'un terme d'autant plus long que l'on pense globalement le système. Afin que l'eau des océans se mélange, il faut que s'achève un cycle estimé à cinq millénaires.

Or nous ne proposons que des réponses et des solutions de terme court, parce que nous vivons à échéances immédiates et que de celles-ci nous tirons l'essentiel de notre pouvoir. Les administrateurs tiennent la continuité, les médias la quotidienneté, la science enfin le seul projet d'avenir qui nous reste. Les trois pouvoirs détiennent le temps, au premier sens, pour maintenant statuer ou décider sur le second.

Comment ne pas s'étonner, par parenthèse, du

parallélisme, dans l'information au sens usuel, entre le temps ramené à l'instant qui passe et qui seul importe, et les nouvelles réduites obligatoirement aux catastrophes, qui, seules censées intéressantes, passent ? Tout comme si le très court terme se liait à la destruction : faut-il entendre, en revanche, que la construction demande le long ? Même chose dans la science : quels rapports secrets entretiennent la spécialisation raffinée avec l'analyse, destructrice de l'objet, déjà dépecé par la spécialité ?

Or il faut décider sur le plus grand objet des sciences et des pratiques : la Planète-Terre, nouvelle nature.

Certes, nous pouvons ralentir les processus déjà lancés, légiférer pour consommer moins de combustibles fossiles, replanter en masse les forêts dévastées... toutes excellentes initiatives, mais qui se ramènent, au total, à la figure du vaisseau courant à vingt-cinq nœuds vers une barre rocheuse où immanquablement il se fracassera et sur la passerelle duquel l'officier de quart recommande à la machine de réduire la vitesse d'un dixième sans changer de direction.

D'un problème de long terme et d'empan maximum, la solution, pour devenir efficace, doit au moins égaler la portée. Ceux qui vivaient dehors et dans le temps de la pluie et du vent, dont les gestes induisirent des cultures longues à partir d'expériences locales, les paysans et les marins, n'ont depuis longtemps plus la parole, s'ils l'eurent jamais ; elle nous reste, à nous, administrateurs, journalistes et savants, tous hommes de court terme et de spécialités pointues, en partie responsables du changement global du temps, pour avoir inventé ou propagé les moyens et les outils d'interventions puissantes, efficaces, bienfaisantes et dommageables, inhabiles à trouver des solutions raisonnables parce que immergés dans le temps bref de nos pouvoirs et emprisonnés dans nos étroits départements.

S'il existe une pollution matérielle, technique et industrielle, qui expose le temps, au sens de la pluie et du vent, à des risques concevables, il en existe une deuxième, invisible, qui met en danger le temps qui passe et coule, pollution culturelle que nous avons fait subir aux pensées longues, ces gardiennes de la Terre, des hommes et des choses elles-mêmes. Sans lutter contre la seconde, nous échouerons dans le combat contre la première. Qui peut douter aujourd'hui de la nature culturelle de ce qu'on nomma l'infrastructure ?

Comment réussir dans une entreprise de long terme avec des moyens de terme court ? Il nous faut payer un tel projet par une révision déchirante de la culture induite aujourd'hui par les trois pouvoirs qui dominent nos brièvetés. Avons-nous perdu mémoire des âges antédiluviens, où un patriarche, dont nous descendons sans doute, dut se préparer, en construisant l'arche, modèle réduit de la totalité de l'espace et du temps, à une transgression marine causée par quelque déglaciation ?

En mémoire de ceux qui se sont tus pour toujours, donnons donc la parole à des hommes de long terme : un philosophe s'instruit encore dans Aristote, un juriste ne trouve pas le droit romain très ancien. Ecoutons-les une minute, avant de brosser le portrait du nouveau politique.

Le philosophe des sciences

demande : mais qui donc inflige au monde, ennemi objectif commun désormais, ces dommages qu'on espère encore réversibles, ce pétrole déversé en mer, cet oxyde carbonique évaporé dans l'air par millions de tonnes, ces produits acides et toxiques revenus avec la pluie… d'où viennent ces ordures qui étouffent d'asthme nos petits enfants et qui couvrent notre peau de plaques ? Qui, au-delà des personnes, privées ou publiques ? Qui au-delà des métropoles énormes, simple nombre ou simplexe de voies ? Nos outils, nos armes, notre efficacité, notre raison enfin, dont nous nous montrons légitimement vains : notre maîtrise et nos possessions.

Maîtrise et possession, voilà le maître mot lancé par Descartes, à l'aurore de l'âge scientifique et technique, quand notre raison occidentale partit à la conquête de l'univers. Nous le dominons et nous l'approprions : philosophie sous-jacente et commune à l'entreprise industrielle comme à la science dite désintéressée, à cet égard non différenciables. La maîtrise cartésienne redresse la violence objective de la science en stratégie bien réglée. Notre rapport fondamental avec les objets se résume dans la guerre et la propriété.

La guerre, à nouveau

Le bilan des dommages infligés à ce jour au monde équivaut à celui des ravages qu'aurait laissés derrière elle une guerre mondiale. Nos relations économiques de paix parviennent, en continu et lentement, aux mêmes résultats que produirait un conflit court et global, comme si la guerre n'appartenait plus seule ment aux militaires depuis que ceux-ci la font ou la préparent avec des instruments aussi savants que ceux que d'autres utilisent dans la recherche ou l'industrie. Par une sorte d'effet de seuil, la croissance de nos moyens rend les fins toutes égales.

Nous ne nous battons plus entre nous, nations dites développées, nous nous retournons, tous ensemble, contre le monde. Guerre à la lettre mondiale, et deux fois, puisque tout le monde, au sens des hommes, impose des pertes au monde, au sens des choses. Nous chercherons donc à conclure une paix.

Dominer, mais aussi posséder : l'autre rapport fondamental que nous entretenons avec les choses du monde se résume dans le droit de propriété. Le maître mot de Descartes revient à l'application à la connaissance scientifique et aux interventions techniciennes du droit de propriété, individuel ou collectif.

Le propre et le sale

Or j'ai souvent noté qu'à l'imitation de certains animaux qui compissent leur niche pour qu'elle demeure à eux, beaucoup d'hommes marquent et salissent, en les conchiant, les objets qui leur appartiennent pour qu'ils restent leur propre ou les autres pour qu'ils le deviennent. Cette origine stercoraire ou excrémentielle du droit de propriété me paraît une source culturelle de ce qu'on appelle pollution, qui, loin de résulter, comme un accident, d'actes involontaires, révèle des intentions profondes et une motivation première.

Allons déjeuner ensemble tout à l'heure : quand

passera le plat commun de salade, que l'un de nous crache dedans et aussitôt il se l'approprie, puisque nul autre ne voudra plus en prendre. Il aura pollué ce domaine et nous réputerons sale son propre. Nul ne pénètre plus dans les lieux dévastés par qui les occupe de cette façon. Ainsi la souillure du monde y imprime la marque de l'humanité, ou de ses dominateurs, le sceau ordurier de leur prise et de leur appropriation.

Une espèce vivante, la nôtre, réussit à exclure toutes les autres de sa niche maintenant globale : comment pourraient-elles se nourrir de ou habiter dans ce que nous couvrons d'immondices ? Si le monde sali court quelque danger, cela provient de notre exclusive appropriation des choses.

Oubliez donc le mot environnement, usité en ces matières. Il suppose que nous autres hommes siégeons au centre d'un système de choses qui gravitent autour de nous, nombrils de l'univers, maîtres et possesseurs de la nature. Cela rappelle une ère révolue, où la Terre (comment peut-on imaginer qu'elle nous représentait ?) placée au centre du monde reflétait notre narcissisme, cet humanisme qui nous promeut au milieu des choses ou à leur achèvement excellent. Non. La Terre exista sans nos inimaginables ancêtres, pourrait bien aujourd'hui exister sans nous, existera demain ou plus tard encore, sans aucun d'entre nos possibles descendants, alors que nous ne pouvons exister sans elle. De sorte qu'il faut bien placer les choses au centre et nous à leur périphérie, ou mieux encore, elles partout et nous dans leur sein, comme des parasites.

Comment le changement de perspective se produisit-il ? Par la puissance et pour la gloire des hommes.

Retournement

Or à force de la maîtriser, nous sommes devenus tant et si peu maîtres de la Terre, qu'elle menace de nous maîtriser de nouveau à son tour. Par elle, avec elle et en elle, nous partageons un même destin temporel. Plus encore que nous la possédons, elle va nous posséder comme autrefois, quand existait la vieille nécessité, qui nous soumettait aux contraintes naturelles, mais autrement qu'autrefois. Jadis localement, globalement aujourd'hui.

Pourquoi faut-il, désormais, chercher à maîtriser notre maîtrise ? Parce que, non réglée, excédant son but, contre-productive, la maîtrise pure se retourne contre soi. Ainsi les anciens parasites, mis en danger de mort par les excès commis sur leurs hôtes, qui, morts, ne les nourrissent plus ni ne les logent, deviennent obligatoirement des symbiotes. Quand l'épidémie prend fin, disparaissent les microbes mêmes, faute des supports de leur prolifération.

Non seulement la nouvelle nature est, comme telle, globale mais elle réagit globalement à nos actions locales.

Il faut donc changer de direction et laisser le cap imposé par la philosophie de Descartes. En raison de ces interactions croisées, la maîtrise ne dure qu'un terme court et se tourne en servitude ; la propriété, de même, reste une emprise rapide ou se termine par la destruction.

Voici la bifurcation de l'histoire : ou la mort ou la symbiose.

Or cette conclusion philosophique, jadis connue et

pratiquée par les cultures agraires et maritimes, quoique localement et dans des limites temporelles étroites, resterait lettre morte si elle ne s'inscrivait pas dans un droit.

Le juriste. Trois droits sans monde

LE CONTRAT SOCIAL. Les philosophes du droit naturel moderne font parfois remonter notre origine à un contrat social que nous aurions, au moins virtuellement, passé entre nous pour entrer dans le collectif qui nous fit les hommes que nous sommes. Etrangement muet sur le monde, ce contrat, disent-ils, nous fit quitter l'état de nature pour former la société. A partir du pacte, tout se passe comme si le groupe qui l'avait signé, en appareillant du monde, ne s'enracinait plus que dans son histoire.

On dirait la description, locale et historique, de l'exode rural vers les villes. Elle signifie en clair qu'à partir de là nous avons oublié ladite nature, désormais lointaine, muette, inerte, retirée, infiniment loin des cités ou des groupes, de nos textes et de la publicité. Entendez par ce dernier mot l'essence du public qui fait désormais celle des hommes.

LE DROIT NATUREL. Les mêmes philosophes appellent droit naturel un ensemble de règles qui existeraient en dehors de toute formulation ; parce que universel, il découlerait de la nature humaine ; source des lois positives, il suit de la raison en tant qu'elle gouverne tous les hommes.

La nature se réduit à la nature humaine qui se réduit soit à l'histoire, soit à la raison. Le monde a disparu. Le droit naturel moderne se distingue du classique par cette annulation. Reste aux hommes suffisants leur histoire et leur raison. Curieusement celle-ci acquiert dans le domaine juridique un statut assez voisin de celui qu'elle avait acquis dans les sciences : elle a tous les droits parce qu'elle fonde le droit.

La Déclaration des droits de l'homme

Nous avons célébré, en France, le bicentenaire de la Révolution, et, par la même occasion, celui de la Déclaration des droits de l'homme, expressément issus, dit son texte, du droit naturel.

Comme le contrat social, elle ignore et passe sous silence le monde. Nous ne le connaissons plus parce que nous l'avons vaincu. Qui respecte les victimes ? Or ladite déclaration fut prononcée au nom de la nature humaine et en faveur des humiliés, des misérables, de ceux qui, exclus, vivaient dehors, à l'extérieur, plongés corps et biens dans les vents et sous la pluie, dont le temps de la vie qui s'écoule se pliait au temps qu'il fait, de ceux qui ne jouissaient d'aucun droit, des perdants à toutes les guerres imaginables et qui ne possédaient rien.

Monopolisée par la science et l'ensemble des techniques associées au droit de propriété, la raison humaine a vaincu la nature extérieure, dans un combat qui dure depuis la préhistoire, mais qui s'accéléra de façon sévère à la révolution industrielle, à peu près contemporaine de celle dont nous célébrons le bicentenaire, l'une technique, l'autre politique. Une fois de plus, il nous faut statuer sur les vaincus, en écrivant le droit des êtres qui n'en ont pas.

Nous pensons le droit à partir d'un sujet de droit, dont la notion s'étendit progressivement. N'importe qui, jadis, ne pouvait y accéder : la Déclaration des droits de l'homme et du citoyen donna la possibilité à tout homme en général d'accéder à ce statut de sujet du droit. Le contrat social, du coup, s'achevait, mais se fermait sur soi, laissant hors jeu le monde, collection énorme de choses réduites au statut d'objets passifs de l'appropriation. Raison humaine majeure, nature extérieure mineure. Le sujet de la connaissance et de l'action jouit de tous les droits et ses objets d'aucun. Ils n'ont encore accédé à aucune dignité juridique. Ce pour quoi, depuis, la science a tous les droits.

Voilà pourquoi nous vouons nécessairement les choses du monde à la destruction. Maîtrisées, possédées, du point de vue épistémologique, mineures dans la consécration prononcée par le droit. Or, elles nous reçoivent comme des hôtesses, sans lesquelles, demain, nous devrons mourir. Exclusivement social, notre contrat devient mortifère, pour la perpétuation de l'espèce, son immortalité objective et globale.

Qu'est-ce que la nature ? D'abord l'ensemble des conditions de la nature humaine elle-même, ses contraintes globales de renaissance ou d'extinction, l'hôtel qui lui donne logement, chauffage et table ; de plus elle les lui ôte dès qu'il en abuse. Elle conditionne la nature humaine qui, désormais, la conditionne à son tour. La nature se conduit comme un sujet.

L'usage et l'abus : le parasite

Dans sa vie même et par ses pratiques, le parasite confond couramment l'usage et l'abus ; il exerce les droits qu'il se donne en nuisant à son hôte, quelquefois sans intérêt pour soi ; il le détruirait sans s'en apercevoir. Ne valent à ses yeux ni l'usage ni l'échange, car il s'approprie les choses, on peut dire qu'il les vole, avant l'un et l'autre : il les hante et les dévore. Toujours abusif, le parasite.

Sans doute, et inversement, peut-on définir le droit en général comme limitation minimale et collective de l'action parasitaire ; celle-ci, en effet, suit la flèche simple par laquelle un flux transite dans un sens, mais non à l'inverse, dans l'intérêt exclusif du parasite, qui prend tout et ne rend rien le long de ce sens unique ; le judiciaire, quant à lui, invente la double flèche dont les sens jumelés cherchent à équilibrer les flux, par échange ou contrat ; au moins en principe, il dénonce les contrats léonins, les dons sans contre-dons et finalement tous les abus. La balance juste du droit contrevient, dès son fondement, au parasite : elle oppose l'équilibre d'un bilan à tout déséquilibre abusif.

Qu'est-ce que la justice sinon cette double flèche, exactement cette balance, ou l'effort continu pour son instauration, parmi les rapports de force ?

Il faut donc procéder à une révision déchirante du droit naturel moderne qui suppose une proposition informulée, en vertu de laquelle l'homme, individuellement ou en groupe, peut seul devenir sujet du droit. Ici le parasitisme reparaît. La Déclaration de droits de l'homme a eu le mérite de dire : « tout homme » et la faiblesse de penser : « seuls les hommes » ou les hommes seuls. Nous n'avons encore dressé aucune balance où le monde entre en compte, au bilan final.

Les objets eux-mêmes sont sujets de droit et non plus simples supports passifs de l'appropriation, même collective. Le droit tente de limiter le parasitisme abusif entre les hommes mais ne parle pas de cette même action sur les choses. Si les objets eux-mêmes deviennent sujets de droit, alors toutes les balances tendent vers un équilibre.

Équilibres

Il existe un ou plusieurs équilibres naturels, décrits par les mécaniques, les thermodynamiques, la physiologie des organismes, l'écologie ou la théorie des systèmes ; les cultures ont inventé de même un ou plusieurs équilibres de type humain ou social, décidés, organisés, gardés par les religions, les droits ou les politiques. Il nous manque de penser, de construire et de mettre en œuvre un nouvel équilibre global entre ces deux ensembles.

Car les systèmes sociaux, compensés en eux-mêmes et fermés sur eux, pèsent de leur poids nouveau, de leurs relations, objets-mondes et activités, sur les systèmes naturels par eux-mêmes compensés, de même qu'autrefois les seconds faisaient courir des risques aux premiers, à l'âge où la nécessité l'emportait en puissance sur les moyens de la raison.

Aveugle et muette, la fatalité naturelle négligeait alors de passer contrat exprès avec nos ancêtres écrasés par elle : nous voici, à ce jour, assez vengés de cet archaïque abus par un abus moderne réciproque. Il nous reste à penser une nouvelle balance, délicate, entre ces deux ensembles de balances. Le verbe penser, proche de compenser, ne connaît pas, que je sache, d'autre origine que cette juste pesée. Voilà ce qu'aujourd'hui nous nommons pensée. Voilà le droit le plus général pour les systèmes les plus globaux.

Le contrat naturel

Dès lors, dans le monde reviennent les hommes, le mondain dans le mondial, le collectif dans le physique, un peu comme à l'époque du droit naturel classique, mais avec pourtant de grandes différences, qui tiennent toutes au passage récent du local au global et au rapport renouvelé que nous entretenons désormais avec le monde, notre maître jadis et naguère notre esclave, toujours notre hôte en tous cas, maintenant notre symbiote.

Retour donc à la nature ! Cela signifie : au contrat exclusivement social ajouter la passation d'un contrat naturel de symbiose et de réciprocité où notre rapport aux choses laisserait maîtrise et possession pour l'écoute admirative, la réciprocité, la contemplation et le respect, où la connaissance ne supposerait plus la propriété, ni l'action la maîtrise, ni celles-ci leurs résultats ou conditions stercoraires. Contrat d'armistice dans la guerre objective, contrat de symbiose : le symbiote admet le droit de l'hôte, alors que le parasite — notre statut actuel — condamne à mort celui qu'il pille et qu'il habite sans prendre conscience qu'à terme il se condamne lui-même à disparaître.

Le parasite prend tout et ne donne rien ; l'hôte donne tout et ne prend rien. Le droit de maîtrise et de propriété se réduit au parasitisme. Au contraire, le droit de symbiose se définit par réciprocité : autant la nature donne à l'homme, autant celui-ci doit rendre à celle-là, devenue sujet de droit.

Que rendons-nous, par exemple, aux objets de notre science, à qui nous prenons la connaissance ? Alors que le cultivateur, autrefois, rendait en beauté, par son entretien, ce qu'il devait à la terre, à qui son travail arrachait quelques fruits. Que devons-nous rendre au monde ? Qu'écrire dans le programme des restitutions ?

Nous avons poursuivi, au siècle dernier, l'idéal de deux révolutions, toutes deux égalitaires : le peuple reprend ses droits politiques, rendus parce que volés ; de même les prolétaires rentrent dans la jouissance des fruits matériels et sociaux de leur travail : recherches d'équilibre et d'équité au sein du contrat exclusivement social, auparavant injuste ou léonin, et tendant sans cesse à le redevenir. Tant l'animalité en nous s'acharne à rétablir la hiérarchie, une telle quête jamais ne s'achève ; pendant que nous la poursuivons, une deuxième commence, qui caractérisera notre histoire à venir comme la précédente a marqué de son trait le siècle passé : même recherche d'équilibre et de justice, mais entre de nouveaux partenaires, le collectif global et le monde tel quel.

Nous ne connaîtrons plus, au sens de la science, nos industries ne travailleront ni ne transformeront la face et les entrailles pacifiques du monde, comme nous le fîmes : la mort collective veille à ce changement contractuel global.

On dirait que le règne du droit naturel moderne commence en même temps que les révolutions scientifique, technique et industrielle, avec la maîtrise et possession du monde. Nous avons imaginé pouvoir vivre et penser entre nous, pendant que les choses obéissantes dormaient, toutes écrasées sous notre emprise : l'histoire des hommes jouissait de soi dans un acosmisme de l'inerte et des autres vivants. On peut faire histoire de tout et tout se réduit à l'histoire.

Les esclaves ne dorment jamais longtemps. Cet intervalle prend fin à ce jour, où la référence aux choses nous rappelle violemment. L'irresponsabilité ne dure que pendant l'enfance.

Dans quel langage parlent les choses du monde pour que nous puissions nous entendre avec elles, par contrat ? Mais, après tout, le vieux contrat social, aussi, restait non dit et non écrit : nul n'en a jamais lu ni l'original ni même une copie. Certes, nous ignorons la langue du monde, ou nous ne connaissons d'elle que les diverses versions animiste, religieuse ou mathématique. Quand fut inventée la physique, les philosophes allaient disant que la nature se cachait sous le code des nombres ou les lettres de l'algèbre : ce mot de code venait du droit.

En fait, la Terre nous parle en termes de forces, de liens et d'interactions, et cela suffit à faire un contrat. Chacun des partenaires en symbiose doit donc, de droit, à l'autre la vie sous peine de mort.

Tout cela resterait lettre morte si on n'inventait un nouvel homme politique.

Le politique

Quand il parle politique, Platon cite quelquefois l'exemple du vaisseau et la soumission de l'équipage au pilote, gouverneur expert, sans dire jamais, sans doute parce qu'il l'ignore, ce que ce modèle comporte d'exceptionnel.

Entre la vie ordinaire à terre et le paradis ou l'enfer à la mer existe la disparate du retrait possible : à bord ne cesse jamais l'existence sociale et nul n'y peut se retirer sous sa tente privative, comme le fit Achille, guerrier piéton, jadis. Pas d'échappatoire où la planter, sur un bateau, où le collectif se ferme derrière la définition stricte dessinée par les lisses de la rambarde : hors du cordon, la noyade. Ce tout-social, qui enchantait le philosophe pour des raisons que nous jugerions ignobles, tient les navigants sous la loi de politesse, entendue au sens le mieux dit par le plus politique. Il y a du local, il y a l'être-là, quand l'espace offre des restes.

Depuis la plus haute Antiquité, les marins et sans doute eux seuls connaissent et pratiquent la distance et la conséquence des guerres subjectives à la violence objective, parce qu'ils savent qu'ils condamnent leur barque au naufrage, avant de l'emporter sur l'adversaire intérieur, s'ils viennent à s'opposer entre eux. Le contrat social leur vient directement de la nature.

Dans l'impossibilité de toute vie privée, ils vivent sans cesse en danger de colère. Donc règne à bord une seule loi non écrite, cette divine courtoisie qui définit le marin, contrat de non-agression, pacte entre les navigants, livrés à leur fragilité, sous menace constante de l'océan qui, par sa force, veille, inerte, mais formidable, à leur paix.

Tout différent de celui par lequel les autres groupes humains s'organisent et même commencent, le pacte social de courtoisie en mer équivaut en fait à ce que j'appelle contrat naturel. Pourquoi ? Parce que ici le collectif, s'il se déchire, immédiatement se livre, sans recul ni recours possible, à la destruction de sa niche fragile, d'un habitat privé de supplément, tel le refuge de la tente, ce fortin privé, où se réfugie Achille, voltigeur en colère contre d'autres fantassins, entendez par ces deux mots qu'ils ne connaissent pas l'eau. Par l'absence de restes où se retirer, le vaisseau fait voir le modèle du global : l'être-là, local, indique le terrien.

Dès le début de notre culture, l'*Iliade* s'oppose à l'*Odyssée* comme la conduite à terre face aux mœurs de mer : la première ne tient compte que des hommes, les secondes ont affaire au monde. D'où les soldats du premier poème, geste ou épopée d'histoire, devenus des compagnons dans le second, texte et carte de géographie, à la lettre, où la Terre connue écrit elle-même, et où l'on observe déjà ce contrat naturel passé en silence et par peur ou respect entre l'ire grondante du gros animal social et la noise, bruit et fureur de mer. Convention entre Ulysse sourd et les sirènes clamantes, pacte de la face de l'étrave avec les lames, paix des hommes affrontant les vents. Mais quel langage parlent les choses du monde ? La voix des éléments passe par la gorge de ces femmes étranges qui chantent dans les détroits de la fascination.

En politique ou économie, au moyen des sciences, nous savons définir la puissance ; comment penser la fragilité ? Par l'absence de supplément. A l'inverse, la force dispose de réserves ; se défend ailleurs, attaque par d'autres lignes, se replie sur des positions préparées, comme Achille dans sa tente, peut manger des provisions, alors qu'une totalité pleine et raide peut casser, par rigueur ou dureté, comme la proue à la cape, face aux lames déferlantes. D'où la résistance des ensembles flous, munis de lieux et de refuges divers.

Rien de plus faible qu'un système global qui devient unitaire. A loi unique, mort subite. L'individu vit d'autant mieux qu'il se fait nombreux : ainsi des sociétés, ou même de l'être en général.

Voici maintenant formée la contemporaine société, qu'on peut appeler deux fois mondiale : occupant toute la Terre, solidaire comme un bloc, par ses interrelations croisées, elle ne dispose d'aucun reste, de recul ni de recours, où planter sa tente et dans quel extérieur. Elle sait, d'autre part, construire et utiliser des moyens techniques aux dimensions spatiales, temporelles, énergétiques des phénomènes du monde. Notre puissance collective atteint donc les limites de notre habitat global. Nous commençons à ressembler à la Terre.

Ainsi donc équipotent au monde, notre groupe de fait réuni l'avoisine comme les chandeliers de la rambarde séparent, parce qu'ils se touchent, le pont solide et mobile de l'étendue fluctuante. Tout le monde vogue sur le monde comme l'arche sur les eaux, sans aucune réserve extérieure à ces deux ensembles, celui des hommes et celui des choses. Nous voici donc embarqués ! Pour la première fois de l'histoire, Platon et Pascal, qui n'avaient jamais navigué, ont raison tous les deux en même temps, car nous voici contraints à obéir aux lois du bord, à passer du contrat social, qui protégea longtemps des sous-ensembles culturels mobiles dans un environnement large et libre, muni de réserves absorbant tout dommage, au contrat naturel exigé par un groupe compact unifié parvenu aux limites strictes des forces objectives.

Là, nos armes et techniques à portée globale retentissent sur la totalité du monde dont les blessures qu'elles lui infligent retentissent en retour sur l'ensemble des hommes. La politique a désormais pour objets ces trois totalités connectées.

Du gouvernement

Il gouverne, le pilote. Suivant les intentions de sa route, selon la direction et la force de la houle, il incline le safran du gouvernail. La volonté agit sur le vaisseau qui agit sur l'obstacle qui agit sur la volonté, en série d'interactions courbées. Premier puis dernier, cause d'abord puis conséquence avant de redevenir cause encore une fois, s'adaptant donc en temps réel aux conditions qui le modifient sans cesse, mais à travers lesquelles il reste invariant de façon têtue, le projet décide d'une inclinaison subtile et fine, différentiée dans l'inclination de la force des choses, pour que la route enfin se fraie parmi l'ensemble des contraintes.

On appela cybernétique l'art, à la lettre symbiotique, de gouverner par des boucles engendrées par ces angles et engendrant à leur tour d'autres angles de route : technique particulière au métier de pilote en mer, qui passa récemment à des technologies aussi intelligentes que cette maîtrise de l'armement maritime, et de cette sophistication à la saisie de systèmes plus généraux, qui ne se maintiendraient ni ne changeraient globalement sans de tels cycles. Mais tout cet arsenal méthodique ne restait qu'à l'état de métaphore pour l'art de gouverner politiquement les hommes. Qu'enseigne au gouverneur le pilote au gouvernail ?

Voici que s'évanouit leur différence. Les occupations de tout le monde donnent aujourd'hui au monde des dommages qui, par boucle en retour immédiate ou prévisiblement différée, deviennent les données du travail de tout le monde. Je varie à dessein sur un même mot d'échange : nous recevons des dons du monde et nous lui infligeons des dommages qu'il nous renvoie sous forme de nouvelles données.

Voici la cybernétique revenue. Pour la première fois de l'histoire, le monde humain ou mondain, en bloc, fait face au monde mondial, sans jeu, reste ni recours, pour l'ensemble du système, comme en un vaisseau. Le gouvernant et le pilote au gouvernail s'identifient en un même art de gouverner.

Le pilote agit en temps réel, ici et maintenant, sur une circonstance locale d'où il compte tirer un résultat global ; de même le gouvernant, de même le technicien et le savant. Ce dernier n'hésite pas, lorsqu'il associe ses modèles locaux en un ensemble mimant la Terre, à user du verbe piloter, quand il imagine quelque intervention.

Immergé dans le contrat exclusivement social, l'homme politique, jusqu'à ce matin, le contresigne et récrit, le fait observer, uniquement expert en relations publiques et sciences sociales ; éloquent, même rhéteur, cultivé à la rigueur, connaissant les reins, les cœurs, et la dynamique des groupes, administrateur beaucoup, médiatique, il le faut bien, essentiellement juriste, lui-même produit du droit et produisant du droit : inutile de se faire physicien.

Aucun de ses discours ne parlait du monde, s'entretenant indéfiniment des hommes. Une fois encore, la publicité, comme le veulent les règles de formation d'un tel mot, se définit comme l'essence du public : ainsi donc plus qu'aucun autre, le politique ne s'adonne à aucun discours ni geste sans les plonger dans la publicité. Plus encore, l'histoire et la tradition récentes lui enseignaient que le droit naturel n'exprime que la nature humaine. Fermé dans le collectif social, il pouvait splendidement ignorer les choses du monde.

Tout vient de changer. Désormais nous réputerons inexact le mot politique, parce qu'il ne se réfère qu'à la cité, aux espaces publicitaires, à l'organisation administrative des groupes. Or il ne connaît rien au monde, celui qui demeure dans la ville, jadis appelé bourgeois. Désormais, le gouvernant doit sortir des sciences humaines, des rues et des murs de la cité, se faire physicien, émerger du contrat social, inventer un nouveau contrat naturel en redonnant au mot nature son sens originel des conditions dans lesquelles nous naissons – ou devrons demain renaître.

Inversement le physicien, au sens grec le plus ancien, mais aussi le plus moderne, s'approche du politique.

Dans une page mémorable où il décrit l'art de gouverner, Platon dessine le roi tissant des fils de trame rationnels à ceux d'une chaîne qui transporterait des passions moins raisonnables. A ce jour, le nouveau prince devra croiser la trame du droit à une chaîne issue des sciences physiques : dès ce matin l'art politique suivra ce tissage-là.

Jadis j'ai nommé passage du Nord-Ouest le lieu où ces deux types de sciences convergeaient, mais je ne savais pas, ce faisant, que je définissais la science politique d'aujourd'hui, la géopolitique au sens de la Terre réelle, la physiopolitique, au sens où les institutions que se donnent les groupes dépendront désormais des contrats explicites qu'ils passeront avec le monde naturel, jamais plus notre bien, ni privé ni commun, mais désormais notre symbiote.

Histoire, à nouveau

Aussi mythiquement que nous le pensions, le contrat social marque donc le commencement des sociétés. En raison de telles ou telles nécessités, certains hommes décident, un certain jour, de vivre ensemble et donc s'associent ; depuis lors, nous ne savons plus nous passer les uns des autres. Quand, comment, pourquoi ce contrat fut-il — ou non — signé, nous ne le savons pas et ne le saurons sans doute jamais. Qu'importe.

Depuis ce temps fabuleux, nous avons multiplié les contrats, de type juridique. Nous ne pouvons pas décider si ceux-ci furent établis sur le modèle du premier, ou si, au contraire, nous imaginons la fiction de l'originaire sur le modèle des contrats usuels fixés par nos droits. Qu'importe à nouveau.

Mais ces droits eurent et ont le génie de délimiter des objets, attribuables par eux à des sujets définis par eux.

Nous imaginons que le contrat social associa purement, simplement, des individus nus, alors que les droits, parce qu'ils traitent de causes et reconnaissent l'existence de choses, font entrer ces dernières comme parties intégrantes de la société, donc stabilisent celle-ci en alourdissant les sujets, inconstants, et leurs relations, labiles, au moyen d'objets, pondéreux. Il n'existe pas de collectif humain sans choses ; les rapports entre les hommes passent par les choses, nos rapports aux choses passent par les hommes : voilà l'espace un peu plus stable que décrivent les droits. J'imagine quelquefois que le premier objet du droit fut la corde, le lien, celui que nous ne lisons qu'abstraitement dans les termes d'obligation et d'alliance, mais plus concrètement dans celui d'attachement, cordon qui matérialise nos rapports ou change nos relations en choses ; si nos rapports fluctuent, cette solidification les fixe.

Sur le modèle de ces contrats-là, un collectif nouveau, à des dates que désormais nous connaissons, s'associa pour stabiliser mieux encore les objets. Le contrat de vérité scientifique synthétise un contrat social, exclusivement intersubjectif, de surveillance constante réciproque et d'accord en temps réel sur ce qu'il convient de dire et de faire, et un contrat réellement juridique de définition de certains objets, de délimitation des compétences, de procédures d'expériences et d'attribution analytique de propriétés. Alors les choses quittent peu à peu le réseau de nos relations pour prendre certaine indépendance ; la vérité exige que nous parlions d'elles comme si nous n'étions pas là. Une science, dès sa naissance, associe indissociablement le collectif et le monde, l'accord et l'objet de l'accord.

L'acte contractuel fait se ressembler ces trois types d'association, globalement collective pour le contrat social, dispersée en mille sous-groupes par les mille variétés du droit, locale et globale à la fois dans le cas de la science, mais le rapport aux objets les distingue. Absent totalement du premier, comme des sciences sociales, le monde pénètre lentement dans les décisions collectives : par les causes devenues des choses, puis par la causalité des choses elles-mêmes. Il n'entre assurément au sein de ces collectifs que morceau par morceau. Pour combien peu de philosophies le collectif vit-il dans le monde global ?

J'entends désormais par contrat naturel d'abord la reconnaissance, exactement métaphysique, par chaque collectivité, qu'elle vit et travaille dans le même monde global que toutes les autres ; non seulement chaque collectivité politique associée par un contrat social, mais aussi chaque collectif quelconque, militaire, commercial, religieux, industriel..., associé par un contrat de droit, mais encore le collectif expert associé par le contrat scientifique. J'appelle ce contrat naturel métaphysique, parce qu'il va au-delà des limitations ordinaires des diverses spécialités locales, et, en particulier, de la physique. Il est aussi global que le contrat social et fait entrer celui-ci, en quelque sorte, dans le monde et il est aussi mondial que le contrat savant et fait entrer celui-ci, en quelque sorte, dans l'histoire.

Virtuel et non signé au même titre que les deux premiers, puisqu'il semble bien que les grands contrats fondamentaux demeurent tacites, le contrat naturel reconnaît un équilibre entre notre puissance actuelle et les forces du monde. De même que le contrat social reconnaissait quelque égalité entre les signataires humains de son accord, que les divers contrats de droit cherchent à équilibrer les intérêts des parties, de même que le contrat savant s'oblige à rendre en raison ce qu'il reçoit en information, de même le contrat naturel reconnaît d'abord l'égalité nouvelle entre la force de nos interventions globales et la globalité du monde. La chose qui stabilise nos rapports ou celle que mesure la science demeure locale, découpée, limitée ; le droit et la physique la définissent. Elle grandit aujourd'hui aux dimensions de la Terre.

Enfin, le contrat savant de vérité réussit, génialement, à nous placer du point de vue de l'objet, en quelque manière, comme les autres contrats nous plaçaient, en quelque façon, par le lien de leur obligation, du point de vue des autres partenaires de l'accord. Le contrat naturel nous amène à considérer le point de vue du monde en sa totalité.

Tout contrat crée un ensemble de liens, dont le réseau canonise des relations ; aujourd'hui la nature se définit par un ensemble de relations, dont le réseau unifie la Terre entière ; le contrat naturel connecte en un réseau le second au premier.

Le religieux

Nous ne cessons pas de perdre la mémoire des actes étranges auxquels s'adonnaient les prêtres dans des réduits sombres et secrets où, seuls, ils habillaient la statue d'un dieu, l'ornaient, faisaient sa toilette, la levaient ou la sortaient, lui préparaient un repas et lui parlaient indéfiniment, et cela chaque jour et toutes les nuits, à l'aurore, au crépuscule, quand le soleil et l'ombre venaient à leur acmé. Craignaient-ils qu'un seul arrêt dans cet entretien continu, infini, ouvrît des conséquences formidables ?

Amnésiques, nous croyons qu'ils adoraient le dieu ou la déesse, sculptés de pierre ou de bois ; non : ils donnaient à la chose elle-même, marbre ou bronze, la parole, en lui conférant l'apparence d'un corps humain doué de voix. Ils célébraient donc leur pacte avec le monde.

Nous oublions de même pour quelles raisons les moines bénédictins se lèvent avant le jour pour chanter matines et laudes, les petites heures de prime, tierce, sexte, ou repoussent leur repos tard dans la nuit pour psalmodier encore, à complies. Nous ne gardons pas le souvenir des prières nécessaires ni de ces rites perpétuels. Et cependant, non loin de nous, trappistes, carmélites encore égrènent sans trêve l'office divin.

Ils ne suivent pas le temps, mais le soutiennent. Leurs épaules et leurs voix, de versets en oraisons, portent les minutes en minutes le long de la fragile durée, qui, sans eux, se casserait. Et qui inversement nous convainc de l'absence de lacune dans les fils ou les nappes chroniques ? Pénélope, jour et nuit, ne quittait le métier de tapisserie. Ainsi la religion repasse, file, noue, assemble, recueille, lie, relie, relève, lit ou chante les éléments du temps. Le terme religion dit exactement ce parcours, cette revue ou ce prolongement dont l'inverse a pour nom négligence, celle qui ne cesse de perdre le souvenir de ces conduites et paroles étranges.

Les doctes disent que le mot religion pourrait avoir deux sources ou origines. D'après la première, il signifierait, par un verbe latin : relier. Nous relie-t-elle entre nous, assure-t-elle le lien de ce monde à un autre ? D'après la deuxième, plus probable, non certaine, mais voisine de la précédente, il voudrait dire assembler, recueillir, relever, parcourir ou relire.

Mais ils ne disent jamais quel mot sublime la langue place en face du religieux, pour le nier : la négligence. Qui n'a point de religion ne doit pas se dire athée ou mécréant, mais négligent.

La notion de négligence fait comprendre notre temps.

Dans les temples d'Egypte, de Grèce ou de Palestine, les ancêtres, dis-je, soutenaient le temps, comme anxieux de lacunes possibles. Nous voici aujourd'hui inquiets de catastrophes dans le tissu aérien de protection qui garantit non plus le temps qui coule mais le temps qu'il fait. Ils reliaient, assemblaient, recueillaient, relevaient, ne cessaient jamais comme les moines tout au long de la journée. Et si d'aventure existaient une histoire et une tradition humaines simplement parce que des hommes adonnés au plus long terme concevable n'ont cessé de recoudre le temps ?

La modernité néglige, absolument parlant. Elle ne sait ni ne peut ni ne veut penser ni agir vers le global, temporel ou spatial.

Par les contrats exclusivement sociaux, nous avons laissé le lien qui nous rattache au monde, celui qui relie le temps qui passe et coule au temps qu'il fait, celui qui met en relation les sciences sociales et celles de l'univers, l'histoire et la géographie, le droit et la nature, la politique et la physique, le lien qui adresse notre langue aux choses muettes, passives, obscures, qui en raison de nos excès reprennent voix, présence, activité, lumière. Nous ne pouvons plus le négliger.

Peut-on pratiquer, dans l'attente inquiète d'un second déluge, une religion diligente du monde ?

Certains organismes disparurent de la surface de la Terre en raison, dit-on, de leur taille énorme. Ceci nous étonne encore que les choses les plus grandes soient les plus faibles, comme la Terre entière, l'Homme en mégalopole ou Etre-partout, Dieu enfin. Jouissant longtemps de la mort de ces grandeurs si fragiles, la philosophie aujourd'hui se réfugie dans les petits détails qui lui donnent la sécurité.

De quelles diligentes épaules soutenir désormais ce ciel immense et fissuré dont nous craignons, pour la deuxième fois d'une longue histoire, qu'il ne nous tombe sur la tête ?

Amour

Sans amour, pas de lien ni d'alliance. Voici enfin les deux fois deux lois.

Aimez-vous les uns les autres, voilà notre loi première. Aucune autre, depuis deux mille ans, n'a su ni pu nous éviter, au moins par moments rares, l'enfer sur terre. Cette obligation contractuelle se divise en une loi locale qui nous demande d'aimer le prochain et une loi globale qui requiert que nous aimions l'humanité, au moins, si nous ne croyons pas en un Dieu.

Impossible de séparer les deux préceptes, sous peine de haine. Aimer ses voisins ou pareils seulement amène à l'équipe, à la secte, au gangstérisme et au racisme ; aimer les hommes en somme, tout en exploitant ses proches, voilà l'hypocrisie fréquente des moralistes prêcheurs.

Cette première loi fait silence sur les montagnes et les lacs, car elle parle aux hommes des hommes comme s'il n'y avait pas de monde.

Voici donc la deuxième loi, qui nous demande

d'aimer le monde. Cette obligation contractuelle se divise en cette vieille loi locale qui nous attache au sol où reposent nos ancêtres et une loi globale nouvelle qu'aucun législateur, que je sache, encore jamais n'écrivit, qui requiert de nous l'amour universel de la Terre physique.

Impossible de séparer les deux préceptes sous peine de haine. Aimer la Terre entière tout en saccageant le paysage alentour, voilà l'hypocrisie fréquente des moralistes qui restreignent la loi aux hommes et au langage dont ils ont l'usage et la maîtrise ; aimer seulement son sol propre entraîne à d'inexpiables guerres dues aux passions de l'appartenance.

Nous savions aimer le prochain, parfois, et le sol, souvent, nous avons appris difficilement à aimer l'humanité, si abstraite autrefois, mais que nous commençons à rencontrer plus fréquemment, voici que nous devons apprendre et enseigner autour de nous l'amour du monde, ou de notre Terre, que désormais nous pouvons contempler en entier.

Aimer nos deux pères, naturel et humain, le sol et le prochain ; aimer l'humanité, notre mère humaine, et notre naturelle mère, la Terre.

Impossible de séparer ces deux fois deux lois sous peine de haine. Pour défendre le sol, nous avons attaqué, haï et tué tant d'hommes que certains d'entre eux ont cru que ces tueries tiraient l'histoire. Inversement, pour défendre ou attaquer d'autres hommes, nous avons saccagé sans y penser le paysage et nous apprêtions à détruire la Terre entière. Donc les deux obligations contractuelles, sociale et naturelle, ont entre elles la même solidarité que celle qui lie les hommes au monde et celui-ci à ceux-là.

Ces deux lois donc n'en font qu'une seule, qui se confond avec la justice, naturelle et humaine à la fois, et qui demandent ensemble à chacun de passer du local au global, chemin difficile et mal tracé, mais que nous devons ouvrir. N'oublie jamais le lieu d'où tu pars, mais laisse-le, et rejoins l'universel. Aime le lien qui unit ta terre et la Terre et qui fait se ressembler le proche et l'étranger.

Paix donc sur les amis des formes et sur les fils de la Terre, sur ceux qui s'attachent au sol et sur ceux qui énoncent la loi, paix sur les frères séparés, sur les idéalistes du langage et les réalistes des choses elles-mêmes, et qu'ils s'aiment.

Il n'y a de réel que l'amour et de loi que de lui.

SCIENCE, DROIT

Origines

DU CÔTÉ DE L'EGYPTE. Premières lois sur la Terre. Le temps régulier venu, les crues du Nil noyaient les limites des champs cultivables dans la vallée alluviale que le fleuve fécondait : aussi, au débit d'étiage, des fonctionnaires royaux, appelés harpédonaptes, arpenteurs ou géomètres, mesuraient à nouveau les terres mêlées par la boue et le limon pour en redistribuer ou en attribuer les parts. La vie reprenait. Chacun revenait chez soi pour vaquer à ses travaux.

Le déluge ramène le monde au désordre, au chaos de l'origine, au temps zéro, exactement à la nature, au sens que ce mot prend si l'on veut dire que les choses vont naître ; la mesure correcte la réordonne et la fait renaître à la culture, au moins au sens agricole. Si la géométrie naît là, comme le laisse entendre Hérodote, qui raconte cette histoire d'émergence, elle a pouvoir de commencement, car il s'agit moins de l'origine de la géométrie que de la géométrie de l'origine.

Dans un autre contexte, *la Genèse* écrit que, des eaux premières, Dieu sépara la terre et la limita. Au début des temps, de la même façon, voici le tohu-bohu de l'inondation suivi du partage : les conditions de la définition, de la mesure et de l'émergence apparaissent ensemble à partir du chaos : « à partir de », qui signifie commencement, veut dire aussi répartition, ce que je veux démontrer.

La décision sur les bornes et frontières paraît, en effet, originelle ; sans elle, pas d'oasis séparée du désert ni, trouant la forêt, de clairière où les paysans s'adonnent au travail d'agriculture, pas d'espace sacré ou profane, l'un de l'autre isolé par le geste des prêtres, pas de définition enserrant un domaine, donc ni langage précis sur lequel s'accorder ni logique ; pas de géométrie, enfin.

Mais, encore plus originellement, qui prend cette décision, terme qui exprime aussi le découpage, la création d'un bord ?

L'assignation de limites fait cesser les contentieux entre voisins ; voici le droit de propriété, celui d'enclore exactement un terrain et de l'attribuer, voici du droit civil et privé. De plus, la même délimitation par bornes permet au cadastre royal de mettre chacun à sa place et de fixer l'assiette de l'impôt et des taxes diverses : voilà du droit public et fiscal. Sans apparaître expressément dans les *Histoires* d'Hérodote, les droits foisonnent en cette légende d'origine, où eux seuls prennent la décision et découpent les champs, quelle que soit la personne physique, envoyée du pharaon, l'harpédonapte mystérieux qui les restitue de fait. Qui décide ? Le législateur ou quiconque dit le droit et le fait appliquer.

Celui-ci donc accomplit d'abord le geste originaire d'où la géométrie naît, qui va, quant à elle, produire plus tard un accord nouveau parmi ceux qui démontrent, comme si la justesse réussissait encore mieux que la justice. Mais celle-ci, sur ce point, a précédé celle-là, en l'identifiant à elle. Avant le consensus savant sur la précision de la découpe ou la nécessité de la démonstration, un contrat juridique s'impose et met d'abord tous les gens concernés d'accord.

Mais, à nouveau, comme le déluge effaça les limites et bornes des champs cultivables, disparurent, du même coup, les propriétés : revenus sur le terrain devenu chaotique, les harpédonaptes les redistribuent et donc font renaître le droit, effacé. Celui-ci réapparaît en même temps que la géométrie ; ou, plutôt, les deux naissent avec la notion de limite, de bord et de définition, avec la pensée analytique. La définition de la forme précise en implique les propriétés, pour la géométrie, celles du carré ou du losange, et, pour le droit, le propriétaire : sur le même mot et sur la même opération, la pensée analytique s'enracine, d'où sortent deux rameaux, le droit et la science.

L'harpédonapte ou arpenteur tire, tient, attache le cordeau : son titre mystérieux se décompose en deux mots dont le substantif dit le lien et le verbe qu'il le fixe. Au commencement est cette corde. Celle qui, dans un temple, par exemple, délimite le profane et le sacré. Celle qu'évoque le mot contrat.

Le premier prêtre qui, ce bout à la main, ayant enclos un terrain, trouva ses voisins satisfaits des bords de leur clôture commune, fut le vrai fondateur de la pensée analytique, et, à partir d'elle, du droit et de la géométrie. Par la fixité du contrat, conclu pour très longtemps, par l'exactitude et la rigueur du dessin, par la correspondance entre la précision de celui-ci et la stabilité du premier, pacte d'autant meilleur que ses termes se raffinent, que les valeurs se précisent, que les parts se trouvent exactement découpées. Ces réquisits caractérisent tout autant le contrat défini par le juriste que celui d'où naît la science. D'où le double usage des termes: attributs et propriétés.

La géométrie, à la manière grecque, reflue vers la *Maat* égyptienne. Ce mot signifie la vérité, le droit, la morale, la mesure et la part, l'ordre issu du mélange désordonné, un certain équilibre de justesse et de justice, la rectitude lisse d'un plan. Si un quelconque chroniqueur égyptien avait écrit cette histoire, et non Hérodote, on aurait conclu à la naissance du droit, comme si les Grecs avaient tiré vers la science un processus d'émergence de l'ordre que les Egyptiens orientaient vers les formes de la procédure.

Le droit précède la science, et, peut-être, l'engendre ; ou plutôt: une origine commune, abstraite et sacrée, les rassemble. Avant elle, on ne peut imaginer que le déluge, la grande crue première ou récursive des eaux, c'est-à-dire ce chaos qui mêle les choses du monde, les causes, les formes, les relations d'attribution et qui confond les sujets.

On dirait l'état contemporain de nos problèmes.

Intervint donc — le saura-t-on jamais? — un contrat social d'où naquirent les politiques et les droits, notion ou événement peut-être mythique et abstrait, mais fondamental et indispensable pour comprendre comment naquirent les obligations qui nous lient les uns aux autres — la corde du contrat précède celle des obligations —, à supposer que nous ne voulions pas les voir naître du péché originel ni de notre propre nature. Il forma, dit-on, toutes les sociétés traditionnelles, y compris celle où nous vivons.

Un deuxième contrat fonda une société toute nouvelle, qui dut naître en Grèce, cinq siècles avant Jésus-Christ, ou encore avant dans la vallée du Nil, et qui associa quelques personnes dont nous ne pouvons pas vraiment définir les qualités — prêtres, fonctionnaires, juristes ? — sous la contrainte de s'incliner devant la nécessité de la mesure exacte, puis de la démonstration. Toutes les sciences s'ensuivirent de lui comme les sociétés naquirent de l'autre.

Tant qu'il ne fut question que de mathématiques, le deuxième pacte ne différa pas beaucoup du premier, car il ne s'agissait que d'un accord où une décision commune pouvait faire naître, performativement, ce dont il était question. Dès que nous voulons, ensemble, que ceci soit à moi et cela ta propriété, tout aussitôt il en est ainsi. En mathématiques, le contrat va légèrement plus avant ; il faut que nous nous mettions d'accord sur les propriétés d'un énoncé ou d'une figure et, si le premier peut dépendre seulement de notre décision, la seconde se conduit comme un objet indépendant de nous : d'où la demande en temps réel, que nous trouvons si lassante, de Socrate à ses interlocuteurs, à propos de chaque mot et de toute chose ; en fait, il requiert d'eux la signature indéfinie de ce contrat, qui soutient, dans le plus fin détail, les dialogues de Platon.

La société savante et archaïquement philosophique naît de ces seings sans fin, sans lesquels aucun débat ne pourrait avoir lieu. Mais, d'autre part, elle ne peut naître que par opposition à la société traditionnelle, comme si le nouveau contrat n'usait pas des mêmes termes que l'ancien. La liaison qui nous oblige peut nous dépasser, comme nous dépasse la figure et ses propriétés. Du coup, presque tous les signataires du pacte savant, nous allons le voir, comparaissent devant les tribunaux institués par l'ancien, en soutenant que celui-ci n'a aucune compétence dans les nouvelles décisions. Il existe un autre monde, par exemple mathématique, échappant au performatif.

La démonstration par l'absurde, la première dont on peut dire qu'elle conclut, se développe comme un procès contradictoire, où, avant le jugement, telle chose appartient à la fois et en même temps à tel ensemble et à son complémentaire : il faut trancher. L'adjectif apagogique, qui désigne cette preuve principielle, vient encore d'un verbe de droit : arrêter un malfaiteur, s'acquitter d'une amende... Mais là, l'instance qui décide nous échappe ; le nombre nous impose sa loi.

D'où l'immense retard de la physique par rapport aux mathématiques : il est infiniment plus difficile de se mettre d'accord sur un fait que sur un énoncé ou sur la figure qu'au moins nous avons construite ; encore plus malaisé de se mettre d'accord sur l'accord d'un fait avec un énoncé.

Alors le contrat introduira une troisième instance : le monde. Déjà, la physique donne l'idée du contrat naturel.

DU CÔTÉ DE LA GRÈCE. Devant les pyramides d'Egypte et face au soleil, Thalès inventa, dit-on, le fameux théorème où s'égalisent les proportions : Chéops, énorme, est à son ombre, comme Chéphren ou Mykérinos, moins gigantesques, sont à la leur, et encore ce que mon corps, médiocre, et ce piquet, fiché là, petit, sont aux traînées sombres qu'ils projettent. Immenses queues pour les tombeaux grands, trace du pieu minuscule, certes, mais le rapport de la marque sur le sable à la taille des choses mêmes se conserve pour quoi et qui que ce soit, exactement comme une balance équilibre deux poids, un plus lourd et l'autre plus léger, en faisant varier la longueur du bras de levier.

Voici la définition la plus ancienne, préaristotélicienne, de la justice distributive. A chacun selon sa taille et sa capacité ; le différent revient au même : forme stable pour toute grandeur ; chacun boit sa mesure pleine, quelle que soit la taille de son verre : tout être a ce qu'il est. Mieux que l'antique métrique des champs bariolés, cette mesure absolue épuise et comprend tout le relatif ou découvre une invariance pour toutes les variations.

Thalès géométrise-t-il la *Maat*, la mesure et la justice de l'Egypte ? Socrate apostrophe Gorgias : tu veux l'emporter sur les autres, parce que tu ignores la géométrie ! En effet, la science de l'égalité proportionnelle démontre à l'évidence qu'à l'égard du même soleil, nous montrons des ombres homothétiques à nos tailles. Tel quel, le monde écrit sur soi la similitude, comme une justice naturelle. Comment alors prétendre à la supériorité ?

Cela qui s'écrit tout seul sous le soleil et sur le sable, en lignes et en figures, et, par la démonstration, force l'accord de tous, passa vite, sans doute, pour ce droit naturel inédit, absent de toute archive humaine, non écrit de calame de scribe, mais projeté automatiquement sous le gnomon du cadran solaire, comme sous les pyramides, à chaque heure de jour et de nuit. Qu'est-ce que le droit naturel ? La géométrie : elle tombe du ciel !

Dès l'origine, la question de la justice va du même pas que celle de la science.

DU CÔTÉ DE L'ALGÈBRE. Dans la dernière décennie du quinzième siècle, tous les contemporains accordent à François Viète la paternité de la Nouvelle algèbre, distincte des algorithmes ou pratiques de calcul courant au Moyen Age. Grand commis de l'Etat et spécialiste avisé des mathématiciens grecs, son inventeur la nomme *Spécieuse*, du latin *Species,* que nous traduisons par Type.

Dans son *Traité d'algèbre*, paru vers la fin du dix-septième siècle, John Wallis, algébriste et analyste anglais, dit, après d'autres, que la *Spécieuse* de Viète, lui-même juriste, a pour origine l'usage des romanistes et des civilistes d'écrire Titius ou Gaïus, Jean ou Pierre, par exemple, Un tel donc, A ou B ou C, pour désigner le sujet d'un cas d'espèce et le décrire plus aisément.

Le droit romain use donc d'un prénom singulier pour proposer une situation d'une certaine généralité ; ainsi l'algèbre utilise, à la place de nombres, des lettres, à valeurs moins particulières que celles des chiffres de l'arithmétique, mais variables en des limites prévues et précisées. Il s'agit d'un type, au sens courant, ou d'une espèce, au sens usuel du droit: singularité si j'ose dire connaissable, individu formel et concret, manipulable comme un index, plus inconnu que connu, Titius demande, dans les cas concrets de culpabilité cités devant les tribunaux, à être individué. Il s'agit bien d'une abstraction différente de celle, universelle, dont usent les géométres.

Le passage de l'équation à sa résolution mime alors celui du texte au prononcé du jugement, de la juridiction à la jurisprudence. La *Spécieuse* ressemble à une casuistique, au sens d'une description générale des cas particuliers. A la fin, au bilan de la procédure, x vaut 45 comme Titia égale Anne.

Le droit précédait la géométrie tout à l'heure, le voici aux origines de l'algèbre. Dans les sciences, cette précession ne cesse-t-elle pas? Se généralise-t-elle à toute connaissance?

DU CÔTÉ DE LA BIBLE. Au commencement, Dieu dit le droit, organise le jardin entre deux mers, fait visiter les essences parmi lesquelles toutes les espèces défilent, et dicte enfin sa conduite à l'homme primordial: tu peux manger ceci, tu ne dois pas consommer cela.

Or Adam désobéit; et la nudité, la conscience malheureuse de soi, l'exclusion, l'errance, le travail, la douleur, la douleur dans le travail d'enfantement, de génération en génération, jusqu'à nous le punissent. Notre histoire et ses larmes s'expliquent par un procès ancien: avant la faute originelle existaient la loi et un législateur; d'où la sentence et tout ce qui s'ensuivit.

S'agissait-il de manger? Certes, mais non pas comme on le fait quand on a faim, puisque au sein du paradis surabondant tout s'offrait à suffisance, mais comme on goûte, passé la satiété. Le désir naît outre le besoin, après l'apaisement du corps et des sens. Si tu manges de ce fruit, tu auras la connaissance, qui éclaire la question du mal et tu seras comme Dieu. Il s'agit de comparaison et de science.

D'un seul mot le savoir s'explicite jusqu'en ses fondements ultimes et ses origines: la connaissance vient de l'imitation. Tu sauras, tu seras comme Dieu. Certes, la connaissance toujours compare à un modèle, ici sublime et absolu, mais surtout elle ne commence et ne se développe, dynamique et dévorante, de l'éducation du petit d'homme jusqu'à la gloire ou la misère du vieil, que poussée par les feux inextinguibles du mimétisme. Or celui-ci, comme notre langue selon Esope, nous porte ensemble au bien et au mal : nul n'apprend sans imiter, mais à force de le faire, la jalousie tue. Ainsi la science du bien et du mal s'identifie à la science elle-même, et celle-ci procède du désir d'être et de faire comme Dieu ; ce désir divin amène irrésistiblement au mal. S'involuent déjà dans cette scène primitive les questions d'éthique et de droit que nous nous posons à propos de notre savoir efficace et concurrentiel. Imiter, donc dominer ; l'emporter, donc détruire.

Se font face le droit et la science : les ordres de la loi et le désir de savoir.

Comment se fait-il que, du fruit de l'arbre de la connaissance, émanera la science du bien et du mal, alors que, visiblement, spectaculairement même, le Diable et le Bon Dieu déjà s'opposent, au travers de la femme et de l'homme, comme les noms mêmes du bien et du mal ? Que faut-il apprendre, en plus ?

Dans le jardin entre deux rives, parmi les fruits offerts et les brutes pacifiques, la *libido sentiendi*, rêve d'amour et de fêtes, heureuse, modeste, silencieuse et méprisée, sert de décor ou de fond, de source et d'excuse sans doute, à l'affrontement transhistorique de la *libido sciendi*, envie de savoir tellement supérieure en puissance à la première que l'espèce humaine tout entière ne balance point à écarter, en faveur de sa curiosité, pour tout le temps à venir, toute satisfaction paradisiaque des sens, un apaisement pourtant à portée de corps, et de la *libido dominandi*, volonté continue de domination, la plus dévastatrice des trois, maîtresse de l'histoire universellement incontestable. Jeter les sens à tout vent pour que luttent à loisir la tête et la dominance.

Et si les trois personnages de la scène primitive incarnaient simplement les trois *libidos* ? Dieu puissance, mâle science et femelle plaisir ? Ecarter celle-ci pour que les deux premiers se battent à l'aise, comme font semblant les boucs de désirer la même chèvre pour mieux assouvir leur vraie passion, la lugubre et monotone dominance.

Ne mange pas de ce fruit-là, issu de la connaissance arborescente. Le maître législateur dicte la conduite sensible de celui qui veut savoir. Et le tentateur, passant outre aux délices exquis des papilles gustatives, dépassant l'extase de la connaissance, pousse immédiatement l'homme à la domination : tu seras comme Dieu. Comme lui, tu organiseras et légiféreras. L'imitation passe vite sur la *libido sciendi*, sur l'apprentissage, pour viser très vite la *dominandi*, l'ambition de puissance et de gloire : de ces parodies, le désir des sens, féminin, hors de cause, s'excuse : le corps sollicite dans l'innocence hormonale. Au milieu d'un étalage candide et déjà menteur, le procès premier oppose et lie la volonté de puissance et celle de savoir, le droit et la science.

Seigneur tout-puissant, Dieu donne et dit la Loi, si performative qu'elle crée ou fait quand et ce qu'elle dit. *Fiat !* Le monde même naît de cet ordre. Femelle et mâle ensemble, soumis, faibles, tremblants de désir, cherchent à savoir, et pour cela, mettent en risque, par le mimétisme, leur paix, le calme, l'abondance, l'innocence et leur postérité. Folie furieuse, échevelée, que de donner le certain au pari de l'improbable et tout pour une espérance. Cette démence hallucinée, je l'appelle prophétique, puisqu'elle annonce la totalité des temps à venir. Voici la première des rencontres qui confrontent dans l'histoire, sainte et profane, les prophètes et les rois.

Au commencement, la connaissance conteste le droit et entre en conflit avec lui. Certes gagne le second, celle-là restant fautive ou pécheresse ; mais elle produit l'errance de l'histoire ou la dérive du temps. Le commencement des sciences engendre l'histoire universelle.

Qu'est-ce que la connaissance, qu'est-ce que la science ? L'ensemble des écarts au droit, à son équilibre stable, les obliques inquiétudes qui amènent toutes les évolutions. Je pense, je pèse, je m'écarte du droit, je n'en ai pas le droit.

Voilà racontée au moins l'émergence singulière de la culture hébraïque et, par-delà, chrétienne, pour qui la connaissance prend le droit de contester le droit. Elle l'a tellement contesté qu'elle l'a tué. La mort de Dieu vaut celle du législateur.

Notre question contemporaine inverse-t-elle l'originaire ? Quel droit conquerront nos droits de contester nos connaissances ?

Nos racines

Gaïus dit quelque part que toute obligation naît d'un contrat ou d'une faute. Si nous lisons dans le premier terme un lien qui rassemble ou assujettit, n'hésitons point à voir à l'origine du second une corde semblable qui nous tire ou tracte ensemble. Donc la théorie du contrat social ne fait que répéter, tautologiquement, la nécessité des liaisons collectives : d'un lien l'autre. De plus, Gaïus démontre son équivalence avec celle du péché originel.

Le droit romain laïcise cette faute primitive. Une fois de plus, la métaphysique ou les discours formels équivalent aux mythes : analysez l'état de nature ou racontez les merveilles du premier jardin, seul le mode d'expression diffère, non le sens. L'obligation implique ou faute ou contrat, qu'importe le choix.

Ici donc, comme souvent, le récit vaut philosophie.

Nous tenons au sol culturel, qui se confondit jadis avec la terre naturelle, par au moins quatre racines longues : l'usage des langues de science éveille la mémoire de la pensée toujours vivante des anciens Grecs qui les ont définies ; la sensation vague de suivre l'écoulement d'une histoire nous restitue le souvenir des prophètes écrivains d'Israël qui nous y ont plongés ; nous oublions notre naissance romaine et avons perdu presque depuis toujours toute trace de notre lointaine origine égyptienne.

Enfoncés dans le passé jusqu'à la taille et dans le primitif parfois jusqu'aux yeux, en même temps que nous volons, libres et déliés, au-dessus de l'atmosphère, courent dans les réseaux sanguins et nerveux, bleus et pâles, de nos jambes, des traditions dont l'enchevêtrement, multiplement, s'entrecroise et qui amènent dans nos têtes et vers notre bouche du sémitique et de l'indo-européen mélangés.

Réalisatrices d'immenses empires longs et stables, les plus durables, et de loin, de toute l'histoire occidentale, sans concurrence imaginable, de sorte que tout Etat, depuis elles, cherche à les imiter, statues de pierre immobiles, éternelles, l'Egypte et Rome sont et restent des êtres de droit. Les *XII Tables* ont soutenu celle-ci et la *Maat* celle-là. Il ne suffit pas de vaincre, il faut encore administrer : le plus juste succède au plus fort. Le droit pur demeure l'invention de Rome. Il réduit à sa propre abstraction et le mythe et le spéculatif.

Nous croyons avoir perdu la mémoire d'une organisation qui encore nous entoure, parce qu'on oublie volontiers ce qui demeure, et que l'agitation superficielle de ce qui change, seule, nous réveille et fouille dans les souvenirs. La plupart de nos références gisent dans le noir. L'Egypte et Rome produisirent peu de connaissances. Quand elles en obtinrent, elles ne les firent point avancer. D'où l'obscurité. Là, le droit l'emporte sur la science. D'où la précession du premier sur la géométrie et l'algèbre, primauté tantôt rapportée.

Etres de connaissance, cités petites sans empire possible, déchirées ou chaotiques, plus souvent hors d'elles-mêmes qu'en leurs murs, Athènes et Jérusalem, tout en restant liées à la loi, surtout morale et religieuse pour la seconde, passent leur histoire à contester le droit.

Prométhée, dont le nom signifie le primitif apprentissage, l'origine de nos connaissances ou l'archéologie du savoir, ne cesse d'expirer, encordé sur un roc du Caucase et, comme lui condamné, l'enseignant des enseignants, Socrate, boit la ciguë, en représentation parmi ses admirateurs. Pour promouvoir ses lois propres, toute connaissance entre en procès : là contre Zeus, roi des dieux, ici contre les archontes ou juges de la cité.

Homme premièrement dédoublé, Adam invente l'histoire et s'y lance aux côtés d'Eve en risquant le paradis contre la science, en contestant la première loi divine dite. Il annonce, dis-je, les rencontres des prophètes et des rois, procès perpétuel, moteur du processus historique, dont celui de Jésus-Christ reprend et renouvelle la tradition et la réalise en la faisant bifurquer. Tel royaume n'est pas de ce monde qui s'identifie à celui de la loi.

Il s'agit, dans tous ces cas, non d'actions quelconques en justice, mais du procès fondamental qui l'ébranle. Il faudra choisir entre la loi et le savoir : car la connaissance commence en même temps que la question : qu'est-ce que la justice ? Alors qu'en Egypte ou à Rome, seule celle-ci a le droit de poser des questions, en ce « qu'est-ce que la justice ? » consiste la première question de Jérusalem et d'Athènes. Renonçant à la poser, ni Rome ni l'Egypte ne produisent vraiment de connaissances, mais, inversement, en la disant, Athènes et Jérusalem renoncent aux royaumes de la terre. La science l'emporte sur le droit. Il fallait qu'Hérodote ou Thalès, sages grecs, voyageassent en Egypte et que Viète, juriste chrétien, s'arrachât au droit romain.

Le débat contemporain qui oppose, violemment parfois, ces deux instances, la science et le droit, la raison rationnelle et le jugement prudent, émeut notre chair et notre verbe depuis le commencement de notre histoire ; celle de nos connaissances suit le temps lancé par ce procès, vigoureux aujourd'hui, source originaire, moteur perpétuel.

Histoire générale des procès

Les deux héros fondateurs de la chimie et de la mécanique, Galilée, Lavoisier, cités devant les tribunaux respectifs de la Révolution et de l'Eglise, d'où ils tirent leur prestige au jugement de l'histoire, couvrent d'opprobre les justices du temps. Et pourtant la Terre tourne ! — tout le monde entend la vérité savante éclater enfin face à l'absurdité — la République n'a pas besoin de savants ! Le droit, autrefois, l'emportait sur la science ; elle gagne désormais sur lui.

Qui doute aujourd'hui de ce partage net entre la lumière et les ténèbres ? Mais qui se doute qu'en assumant ainsi un verdict aussi tranché, quoique inverse de celui des anciennes instances, il prend place au jury d'un nouveau tribunal, loin de défendre, comme il le croit, la cause d'un prévenu, d'une victime ? Conventionnels et cardinaux condamnèrent les savants, nous condamnons à notre tour les révolutionnaires et les gens d'Eglise : qu'y a-t-il de changé dans la forme ? Réel ou virtuel, un tribunal siège donc en permanence, le procès perdure ; la vérité ne peut-elle aller sans jugement ?

Le droit prononça sur la science ; en vertu de quel savoir ? La science décide du droit. De quel droit ?

Ni Galilée ni Lavoisier ne peuvent donc ni ne doivent passer pour des exceptions, car nous voyons abonder au cours de l'histoire arrêts et procès. Dès les débuts, si difficiles à repérer, de la connaissance scientifique, les premiers dialecticiens, astronomes ou physiciens, comparaissent face aux tribunaux des cités grecques, sous des chefs comparables à ceux qui accablèrent les savants modernes : ils s'en tirent mal ; ils ne s'en tirent pas.

Les sciences commencent en de telles actions, elles entrent en histoire par la porte des prétoires. Il ne faut pas s'en étonner ; devant les tribunaux s'accomplit déjà la synthèse entre une histoire interne des sciences, celle qui demande un jugement de vérité (qui décide si Anaxagore ou Galilée ou Lyssenko errent ou disent juste, même Galilée ou Anaxagore cherchent à s'en assurer), avec leur histoire externe, celle qui les fait entrer ou éclore en écoles ou en groupes de pression, et qui exige que leur vérité se trouve socialement canonisée. Devant tel tribunal comparaissent les individus ou les associations, la vérité fragile s'y renforce, car la décision arrêtée la lance dans un temps officialisé. Au bilan, pas d'histoire générale des sciences sans enregistrement judiciaire. Pas de science sans procès ; pas de vérité sans jugement, ou intérieur ou extérieur au savoir. Son histoire ne peut se passer de tribunaux.

Elle ne les quitte plus. Michelet n'a pas mal vu que les procès en sorcellerie, loin de témoigner de la cruauté absurde d'époques sombres, expriment en nombre la rencontre inévitable, fondamentale, qu'on ne peut pas ne pas ritualiser, entre une connaissance, toujours obscure et nocturne avant d'accéder à la clarté, forestière avant de s'exprimer sur la place publique des villes, et le droit toujours clair et distinct avant que la connaissance, à son tour, ne le refoule dans les ténèbres de l'ignorance. Oui, toute science de la nature, sorcière ou apprentie sorcière, irresponsable des affaires sociales, se livra ou se livre encore, pendant un temps, au sabbat. Elle creuse des ronds dans l'herbe, elle troue la couche d'ozone en cercle, elle expose le monde à de grands dangers...

A cet égard, Michelet avant Bergson, et celui-ci avant les contemporains, dessinent l'intérieur et l'extérieur des sociétés, le monde mondain et l'autre monde, mondial par exemple, mais seul l'historien romantique pressent l'importance du tribunal comme lieu de tangence ou d'enregistrement, sas, guichet, semi-conducteur entre l'un et l'autre. Il n'y a qu'un procès d'une seule sorcière, il y a une affaire et un seul savant, et par cette action judiciaire exemplaire se décide continûment l'histoire de nos connaissances et ses multiples bifurcations.

Suite des procès

ZÉNON D'ELÉE. Il embarrassa les philosophes grecs de son temps, pourtant diaboliquement habiles, les mathématiciens analystes de l'âge classique et les logiciens contemporains, bien que de nouvelles méthodes aient donné à ces derniers un appareillage supérieur au sien : pour donner ainsi à penser, à partir de l'origine des mathématiques, aux plus abstraits d'entre les hommes pendant au moins cinq fois cinq cents ans, qui trouver de plus ingénieux que Zénon d'Elée, l'inventeur de la dichotomie, ce partage en deux parties d'un itinéraire, puis division nouvelle en deux segments de la partie qui reste à couvrir, et ainsi à l'infini, de sorte que le voyageur ne parvient jamais à son but et que le penseur commence à concevoir ce qu'on nomme l'abstraction ?

On l'avait surnommé, paraît-il, l'Amphotéroglosse, sobriquet dont le sens l'accuse d'avoir eu la langue assez bien pendue et bifide, comme celle des vipères, pour dire le pour et le contre, oui et non, blanc et noir, faux et vrai, avec autant de vraisemblance et de rigueur. De fait, il inventa la dialectique, c'est-à-dire l'art procédurier de gagner dans le dialogue ou d'interroger l'adversaire jusqu'à le confondre, méthode que, sans doute, lui empruntèrent Socrate et tous ceux pour qui la vérité se définit par la défaite d'autrui, conduite obligée dans le débat judiciaire et qui le conduisit, fatalement, au tribunal.

Diogène Laërce relate qu'Héraclide rapporte — ce pour quoi je raconte sans savoir le vrai ni le faux des critiques successives à propos de ces récits perdus et retrouvés dans une mémoire si fragmentaire qu'on trouve toujours un intermédiaire entre le point où l'on arrive et le but recherché — qu'on l'arrêta pour avoir comploté contre un tyran dont le nom change selon la source, quand elle en parle. Comment ces témoignages parviennent-ils jusqu'à nous, alors que tout montre que l'oubli devrait l'emporter, quel paradoxe ! Bref, le voici en procès, lui le créateur de l'arme la plus redoutable dans la joute judiciaire.

Donne le nom de tes complices, ordonne le roi. Tes gardes, répond Zénon, tes amis, tout l'entourage du palais. Stratégie atroce de l'Amphotéroglosse dont l'astuce isole celui qui tient le pouvoir de tous ceux qu'il croit qu'ils l'aiment. De plus, ce mensonge libère la cité puisque la tyrannie, mettant aussitôt à mort ses propres soutiens et sa protection rapprochée, s'affaiblit au point qu'elle tombe. Victoire de la science, que le philosophe invente, de la forme du procès, sur celui qui l'intente, le domine et l'organise ; triomphe de la dichotomie dont le scalpel tranche tous les liens, même humains, réussite de l'analyse.

Mais soudain Zénon d'Elée déclare qu'il a des révélations confidentielles qu'il ne peut et doit livrer qu'à voix très basse et à qui de droit. Il s'approche, libre, du tyran, seul habilité à les recevoir, et sa bouche lui touche l'oreille : non, il ne parle pas mais il attaque et mord. Mâchoires serrées, sangsue, vampire, tique, l'inventeur de la dialectique ne lâcha prise que mort. On entend d'ici le prétoire envahi par les cris de la douleur royale. Socrate se donne à lui-même le surnom de taon, au cours de sa plaidoirie, et dit qu'il ne laissera ses concitoyens tranquilles de ses piqûres ni de ses morsures qu'après son dernier soupir. Imagine-t-on un organisme vivant, cheval, cerf ou passant, qui, affolé, n'essaie de se débarrasser de ce chétif insecte en l'écrasant ? D'arracher la sangsue des prises sur sa peau, de tuer le parasite ?

Entretenant des rapports électifs avec lui, le savoir,

vraiment, parasite-t-il le droit ? Et certes, il l'imite, le mime, fait théorie de sa forme, le raffine et finalement le combat jusqu'à sa propre mort ou jusqu'à celle des juges. Toute l'histoire du commencement grec des sciences raconte cette vie commune et tragiquement mouvementée de ces sœurs ennemies et jumelles, la justice et la justesse, la raison qui juge et celle qui démontre. Notre question, aujourd'hui : quand et comment deviendront-elles symbiotes ?

L'une des premières sciences commune à presque tous ceux que l'on appelle depuis récemment les présocratiques les conduisit à formaliser le débat judiciaire ; la logique, les arts du langage vinrent du prétoire, des divers aréopages, c'est-à-dire du rapport des raisonnements bien menés à la mort. Tous les raffinements rigoureux, contradiction, démonstration, réduction à l'absurde découlèrent de ce qu'on les éprouve ou les met à l'épreuve moins par rapport à un fait extérieur ou naturel qu'au droit humain, plus présent et dangereux, infiniment.

Du tragique vient le judiciaire, du judiciaire la logique, et de ces trois *logoi* le *logos* scientifique. Il y avait beau temps que les anciens Grecs ne risquaient plus rien de l'eau, du feu ni des bêtes féroces, je veux dire de la nature, alors que la mort les guettait, dans les assemblées. Dialectique et logique enseignées à prix d'or par les sophistes répondaient à la nécessité de se défendre dans les débats dont l'issue, parfois, conduisait à l'exil ou au supplice ultime.

Variante. Un autre récit relate que Zénon trancha sa propre langue et la cracha au visage du tyran. Plus de langue pour parler, pas d'oreille qui entende : le message ou le débat, rhétorique ou dialectique, passent aussi peu l'espace du prétoire qu'Achille, la flèche ou la tortue ne traversent l'intervalle qui les sépare de leur but. Quel parasite, au sens du bruit, intercepte le passage du message ? Mais comme l'Amphotéroglosse jouit d'une langue bifide, quel segment a-t-il coupé pour le jeter à la figure du puissant ? Il lui en reste un autre, pour parler encore !

Ce que voyant, dit-on, et transportés de rage, les citoyens, ensemble, lapidèrent le tyran. Alors les pierres atteignirent leur cible.

Si Zénon inventa la dialectique, il sut canoniser le débat, l'interrogatoire, toutes les formes du procès. Or, s'il arrête, ici, la circulation des messages, en sectionnant de ses dents la langue et l'oreille, l'émission et la réception, il détruit la possibilité de toute procédure, tout débat, toute représentation, donc tout contrat, donc le fondement de la collectivité. Alors le judiciaire, défait, bascule en deçà de ses conditions, vers l'origine, vers le sacrifice, tragique. De même que la tragédie précède toute instance et toute procédure, de même la peine de mort succède au lynchage.

L'analyse qui précède laisse un résidu : il reste une bouche et une langue, celles du tyran, pour crier de douleur, et une oreille, celle de Zénon, impitoyable à ces cris. Mais pour les textes de nos sources, la circulation des messages dans ce sens ne compte pas. Le philosophe parle, non le roi ; le roi écoute, non le philosophe ; devinez qui parasite qui ; inférez de là qui gagne. La science l'emporte sur le droit.

APOLOGIE D'ANAXAGORE DE CLAZOMÈNES. « Ta patrie ne t'intéresse-t-elle pas ? » demandait un contemporain au philosophe Anaxagore qu'il voyait vivre détaché, solitaire, attentif aux événements du ciel. « Tu ne saurais mieux dire », répondit-il en le montrant de la main, « je ne fais que m'occuper d'elle ». Autrement dit : mon royaume n'est pas de ce monde, mondain, mais de l'autre, mondial. Vivons-nous dans les murs de nos villes ou sous la voûte aux constellations ? Dans lequel des deux ? Dans lequel plus que dans l'autre se trouve notre séjour ?

Anaxagore oppose les sciences de la nature à celles de la cité, en témoignant d'un temps constant où tout le monde ne s'occupe que de ces dernières. Les sciences sociales intentent procès à l'astronomie. De quel droit ?

Un moment. Pendant sa passion, Jésus-Christ parle aussi d'un autre monde, différent de celui-ci, où le tribunal qui le juge n'a aucune compétence. Il le nomme un royaume. Or là où règne un roi, il existe une politique et un droit, donc des tribunaux, tout comme ici même, tout comme ici-bas. De fait, tout finira par le Jugement dernier, passé la fin de l'histoire, où la victime du jour reviendra pour prendre place, à la droite du Père, et juger, à son tour, des vivants et des morts. Le dernier tribunal de l'autre monde ressemble, en sa forme, au premier, dans celui-ci. Appel usuel à une instance suprême, la dernière, elle-même sans appel. L'autre monde suit au moins un droit.

Dans les procès faits à la science naissante, on entend la même interjection, mais d'un tout autre ordre. Oui, Galilée comme Anaxagore interjette appel, vers la terre qui tourne ou vers le ciel, sa patrie, mais ces mondes ne sont point des royaumes, munis de tribunaux, mais, plutôt, des lieux de non-droit, sans politique ni roi. La voilà, messieurs les jurés, la nature ! Terre sans règle, vérité sans jugement, chose sans cause, objet sans sujet, loi sans roi. L'effort historique de la science consiste-t-il à inventer une justice nouvelle en cette terre sans contrat ?

La question sur la patrie posée ici au philosophe physicien exige de lui plus qu'on ne croit, car elle le critique et l'attaque à mort. Quoi ! tu fais fi de tout engagement politique et social ? Tu ne lis pas les journaux, tu ne dis point ta prière du matin ? On croirait entendre Sartre ou les politiques moralistes qui l'ont précédé ou suivi. Et nul n'osait répondre à ces terroristes qu'ils ignoraient la physique ! La Grèce ancienne appela donc philosophe, quelquefois, ce héros qui résista jusqu'à la mort à l'obligation politique, dont Sartre exigeait qu'on s'y pliât pour paraître philosophe : à l'âge de mes pères et de leurs successeurs, les sages avaient pris et tiennent encore la place de l'accusateur public qui exige condamnation au nom des forces dominantes de la cité. Salauds !

De quel droit donc tel citoyen critique-t-il Anaxagore ? De ce droit fondamental qui fonde l'existence de la ville et qu'on nomme parfois le contrat social. Si, pour observer les planètes, tu te désintéresses de la patrie, tu romps le contrat qui nous unit, et donc, logiquement, la société doit t'exclure, te condamner, au moins à l'exil, au plus à mort. Dans les deux sens de l'adjectif, la conclusion est rigoureuse.

Elle suppose, en effet, que le contrat social concerne tout le monde, sans exception. Comment définir la volonté générale, sinon comme la volonté de tous, et non celle de tous moins quelques-uns, par exemple Anaxagore et les savants ? Si tu ne t'occupes pas des affaires de la ville, par toi-même tu t'en exclus ; parce que tu te soustrais de la volonté générale, tu prononces ta propre condamnation. De même que le contrat, ce procès peut rester virtuel, mais il peut s'actualiser à loisir. Ainsi que la mise à mort. Le contrat, logique, ne connaît pas la clémence.

Que signifie cette belle totalité, sans exception ni lacune, qui concerne la composition du groupe et les occupations de chacun ? Ceci, considérable, que le savoir du citoyen vertueux et son activité de chaque seconde consistent à connaître en temps réel tout ce que font les autres citoyens et à s'en occuper. Tout le monde sait tout de tout le monde qui s'occupe de tout ce que tous pensent, disent et font. Voilà le savoir absolu, ou, plutôt, l'information absolue, l'engagement total, obligation contractuelle ou système de cordes et de chaînes parfait, intégrale transparence visée par ceux qui font et lisent les journaux, écrits, parlés ou visibles, voilà l'idéal des sciences sociales. Hegel ne se trompait que de peu : le philosophe qui lit le journal fait bien sa prière, mais à l'information absolue : rien, en principe, ne lui échappe. Cette universalité fondait la cité antique, elle exprime son idéal et ceux qui, comme Rousseau, la décrivent comme un regret, cachent ou ignorent le prix colossal dont il faut la payer. Distinction, au passage : l'information donnée par les sciences sociales reste banale, car elle répète ce que tout le monde sait de tout le monde, au contraire de celle, calculable et proportionnelle à la rareté, que donnent les sciences de la nature, et qu'on appelle savoir.

Que tous sachent actuellement tout de tous et en vivent, voici la ville de rêve et la liberté à l'antique, voilà l'idéal des philosophes modernes depuis Rousseau, celui des médias et des sciences sociales, de la police et de l'administration : sonder, clarifier, informer, faire savoir, montrer, rapporter. Cauchemar terrifiant qu'il suffit d'avoir vécu en de petits villages ou de grosses tribus pour vouloir l'éviter toute sa vie comme le comble de l'asservissement. La liberté commence par l'ignorance où je suis et désire rester sur les activités ou les pensées de mes proches et par l'indifférence relative que j'espère qu'ils nourrissent à l'égard des miennes, par manque d'information. Notre vie dans des métropoles énormes fait rêver, comme du paradis perdu, de ces Athènes atroces où l'information continue et totale rend tout le monde esclave de chacun. Astronome, Anaxagore, ou tout autre physicien, dans l'espace de nature conquiert la liberté.

La cité antique n'a pas connu de police. Elle n'en avait nul besoin, puisque l'information de chacun pouvait contrôler en temps réel la conduite de tous. Ce citoyen dont la vertu fut célébrée durant toute l'histoire, de Plutarque à la Révolution française, nous paraîtrait, s'il revivait à nos côtés, rien de moins qu'un délateur ou un mouchard continu, insupportable, un rapporteur ou, comme on le dit en anglais, un reporter, courant sans cesse dire à tous tout ce que l'on peut apprendre de chacun. Cette information absolue et totalitaire, régulatrice et dangereuse, appartient désormais en principe au chef de la police. Contrairement à la tradition, je ne verse donc plus à la louange de la ville antique, mais à son accablement, cette absence de policier, qui montre que chacun se chargeait de la surveillance et de la répression. Qu'il y ait de la police, à la bonne heure, il y a quelque chance de liberté.

Athènes ignorait encore le rôle et la fonction officielle d'accusateur. Chaque citoyen pouvait remplir cette fonction et, devant le tribunal, en accuser un autre, dans l'intérêt public. Nouvelle preuve que tous jouaient auprès de tous le rôle d'espion et d'inquisiteur. La pensée contemporaine en hérita. Combien peu de philosophes, en effet, depuis un demi-siècle, ne s'emparent et ne jouissent du rôle et du statut d'avocat général, de procureur, d'accusateur, de celui qui dénonce les abus, les crimes, les erreurs, les hypocrisies, les fautes, comme un journaliste : voilà leur place de droit. Non, notre philosophie ne doit pas se nommer celle du soupçon, mais celle de la dénonciation. Mais de quel droit se place-t-elle à ce poste ? Ne se trompe-t-elle pas, ne commet-elle jamais d'erreur ? Dans la cité antique, chacun jouissait de ce droit.

Quand un organe apparaît, au cours de l'évolution, il délivre la totalité de l'organisme du poids écrasant de la fonction qu'il accomplit. Mieux valent l'agent et la prison, parce que nous les reconnaissons à l'uniforme et à la grille, organes spécialisés bien visibles, que les yeux et les oreilles omniprésentes des proches et des étrangers transparents qui représentent le contrat virtuel et agissent pour lui. A l'opposé de cet idéal monstrueux se définit notre liberté, qui ne peut aller sans certaine méconnaissance, sans lacune à l'information. La liberté moderne inverse l'antique en nous libérant du poids écrasant de cette information absolue et globale, inutile désormais, ou mise en médias et fiches informatiques. Nous ne mesurons point la chance de nos intelligences de se trouver débarrassées de cette corde sociale : du coup, elles peuvent s'occuper de sciences véritables !

Voici, de nouveau, que nous saisissons sur le vif une origine possible du savoir scientifique, par rapport au dit contrat social ; nous avons sans doute appris ou inventé des sciences en proportion inverse de l'ancienne information : moins nous nous occupons des autres, mieux nous les aimons, sans nul ragot, plus nous connaissons le monde ; plus nous ignorons le banal, mieux nous saisissons le rare. Les sciences sociales n'ont de méthode et de finalité que policières, de contenu qu'informationnel et d'histoire qu'archaïque. La place que laissa la trivialité collective, manquante, le savoir, moderne, l'a prise. Voilà une des leçons d'Anaxagore, quittant son ancienne patrie pour rejoindre la nouvelle.

Supposons maintenant que l'idéal de connaissance sociale totale se réalise, comme Athènes, un peu, et Sparte, sans doute beaucoup, à un certain moment, le connurent, et nous comprenons aussitôt combien chacun des citoyens ci-devant vertueux pouvait trouver monstrueux, à l'inverse de nous, qu'un seul d'entre eux délaissât un tel savoir et une telle activité, puisqu'il détruisait, par cela seul et de lui seul, l'universalité en question. Si quelqu'un s'arrête de tout savoir et de tout dire sur chacun et tous, non seulement il sort de la volonté générale, mais il la détruit : ôtez seulement une planète du contrat solaire, ce changement menace le mouvement et la stabilité de l'ensemble, en chaque point et partout, car il ne peut garder cet équilibre et ses orbites que tel quel. Concevez un système parfait, le voici le plus fragile possible ; il exige de garder sa loi universelle, la même en chaque point. Pour qu'il s'adapte aux changements, il faut le concevoir et le construire, inversement, muni de jeux, comme on dit de rouages qu'ils ont du jeu, c'est-à-dire des faiblesses. Toute évolution ne naît que des fragilités. Notre contrat moderne de liberté exige, ainsi, de la méconnaissance : j'ignore ce que dit et fait mon voisin, je ne rapporte rien de tout cela au cas où cela viendrait à ma connaissance, sauf si je me targue de sciences sociales ou si je m'inscris au registre policier des mouchards. Et je compte bien qu'il pense et agit de même à mon égard. Du coup, le contrat contemporain inverse en partie celui de Rousseau, écrit ou non écrit, à l'antique. Nous constituons une société à responsabilité limitée. Notre liberté tient de cette limitation. Elle vient en partie des espaces de non-droit. Par où pourrait passer la nature.

Or donc, Anaxagore étudia le soleil et la lune, la Terre et la formation du tout, la Voie lactée, le mouvement du monde, car la nature intéressait plus que les affaires publiques ce physicien au sens très ancien.

Passons un moment au procès fameux de Socrate. Anytos l'accuse, devant le tribunal que met en scène l'*Apologie,* de s'adonner de même, pour parler à notre manière, à la physique plus qu'à la sociologie ; et Socrate se récuse pour accuser ou dénoncer Anaxagore de ce méfait : « Allez donc acheter, dit-il, pour une drachme ses livres où vous pourrez lire que le soleil est une pierre et la lune de la terre » *(26 d-e)* — je n'ai, quant à moi, jamais rien dit de tel. Substituant, à son habitude, l'interrogatoire qu'il mène à celui qu'il aurait dû subir, l'inquisiteur se lève en la personne de celui à qui Platon fait jouer le rôle de victime, et se profile, comme en abîme, le procès du physicien dans celui que l'*Apologie* décrit. Même devant un tribunal en séance, le tribunal permanent de Socrate ne cesse pas, plus irrésistible encore que celui qui va le condamner ; même au banc des prévenus, Socrate ne peut s'arrêter d'accuser. Accusateur public permanent, portant son tribunal mobile sur ses épaules dans les rues et sur les places publiques, et donc enfoncé jusqu'à la gueule dans l'information absolue requise par les sciences sociales, Socrate, au beau milieu de son procès, usuel puisqu'il ne s'agit que de savoir s'il a violé ou non les lois de la cité, Socrate, dis-je, ouvre le procès conditionnel, transcendantal, contre celui qui s'exclut de la ville et de son droit ; cause, en effet, si fondamentale qu'elle transperce irrésistiblement le plaidoyer socratique dont pourtant Platon fait, dans l'*Apologie,* le discours fondateur. Le taon juridique se moque bien de la lune !

Accusé d'avoir prétendu que le soleil brûle, Anaxagore fut condamné, cela va sans dire. Au sortir du prétoire a-t-il crié : « Pourtant, il flambe ! » De fait, il l'assimilait à une pierre incandescente, plus grande, disait-il, que le Péloponnèse, et d'où se détacha la météorite, de la taille d'un char et de couleur brune, dont la chute, aux alentours d'Aegos Potamos, assura sa célébrité, parce qu'il l'avait prévue : comment cela peut-il se prédire ?

Un gros morceau de nature tombe au milieu de la ville ; un bel objet des sciences physiques chute soudain dans le terrain des sciences sociales ! Terreur dans la cité aussi bien que par les champs, qui n'advient pas, comme on pourrait le croire, de l'exceptionnel miracle venu inexplicablement du ciel, mais de ce que l'environnement mondial se révèle à ceux qui ne connaissent que l'habitat mondain. Voici la rareté. Voilà le miracle, en vérité, que la nature arrive à percer la clôture serrée de la culture. La pierre tombe du firmament sur la cité, de la physique dans le droit ; le procès d'Anaxagore tombe dans celui de Socrate. Stupeur : le vrai miracle est la chute des corps. Nul n'avait prévu aucun dieu pour la pesanteur.

Tout aussitôt, les sciences sociales prennent la relève : le corps n'est pas un corps ni l'inerte inerte ; le grave devient dieu et le rocher statue. L'événement mondial se rapatrie vite dans le mondain ; la religion ramène aux hommes ce qui venait, en fait, vraiment, du ciel. Se referme la clôture de la ville sur elle-même.

Ici branle la doxographie, dont les sources doutent, incertaines, s'il faut attribuer la prédiction du météore au philosophe Anaxagore ou au fameux roi Tantale. Pourquoi ce rapprochement inattendu ?

De même que le procès dont nous sortons ressort en abîme du procès de Socrate, de même nous percevons celui de Tantale en abîme dans celui d'Anaxagore. Ce roi y fut condamné à une peine perpétuelle : dans les souterrains infernaux décrits par Homère et popularisés par lui, le misérable, assoiffé, s'exténue à ne pouvoir boire, alors qu'une coupe se rapproche de sa bouche sans jamais l'atteindre, et, de même, ne peut manger, affamé. Supplice de Tantale, image de nos désirs inassouvis.

Mais dans les tragiques grecs et dans le poème de Lucrèce, précipité aux enfers aussi bien, il s'attend qu'un rocher, suspendu en équilibre fragile, tombe sur sa tête tout de suite, alors qu'il ne chute pas. La tension du désir laisse place à celle de l'angoisse et la situation se symétrise. L'éternité somme les instants différentiels d'épouvante morne ou d'envie non refroidie. Peut-on concevoir mort celui qui souffre en temps réel d'appétits recommencés ou de peurs toujours reprises ? Non certes, car telle se définit la vie.

Nous survivons tous sous le soleil, exposés à la chute, privée de sens humain ou social, d'un fragment d'astre quittant le système en mouvement ou le tourbillon quasi stable qui le porte. Quand ? Qu'importe de le prévoir, puisque de la mort nous sommes sûrs, mais de son moment, incertains. De tout savoir absolu, le temps de notre mort s'excepte et s'excuse.

Alors, sur la ville tombe la pierre, la terre tremble et fait vaciller nos murs et nos certitudes construites ; sur le citoyen, qui ne croit qu'aux assurances du travail et de la police (admirons la sagesse ou la folie d'une langue qui nomme police le contrat d'assurance), fait irruption la nature. Admirons la folie ou la sagesse de nos ancêtres les Gaulois qui redoutaient, dit-on, que le ciel ne leur tombe sur la tête : en effet, cela peut arriver ce matin, sans crier gare ; mieux, cela, pour sûr, arrivera un beau matin. Du coup, elle mime la nôtre, vivante et courte, l'angoisse éternelle du roi aux enfers, menacé par le rocher.

Question : où situez-vous cet enfer ? Ici même, que je sache, sous les constellations calmes, sous la pierre incandescente du soleil anaxagoréen, dans le temps inquiet de leur équilibre fragile, par la durée de notre vie brève ou de l'histoire infernale et médiocre alentour. Séparé, l'enfer définit très bien le lieu de la nature, entendu comme l'espace de l'exil et du bannissement : si tombe la pierre qui menace la tête de Tantale, elle regagne son lieu naturel.

Nous oublions les météores, nous donnons toujours une causalité humaine à mille événements dont décide le climat. Nos ancêtres les Gaulois eussent préféré, comme moi, la géographie, si sereine, à l'histoire, chaotique, et Montesquieu à Rousseau. Il faut prendre ce dernier à la lettre : passé le contrat, il n'y a plus de nature que pour le rêveur solitaire ; la société l'a oubliée. Les météores s'évaporent dans les philosophies politiques, tout aussi acosmistes que les sciences sociales, après quelques premiers moments, évoqués ou pensés justement comme originaires, pour mieux éliminer le monde.

Ainsi, quoique Périclès, au comble de sa gloire, le défendît, et pour avoir dit que le soleil se réduisait à une roche qui pouvait chuter, Anaxagore se vit condamné au bannissement et à l'exil hors de la ville. Mais il vivait déjà hors la politique. Autrement dit : « Devenu philosophe de la nature et pour avoir démontré que le soleil flambait, Tantale fut condamné à être exposé sous son éclat pour subir jusqu'à la paralysie le choc de sa brûlure. » Cohérente parfois en son chaos historié, la doxographie dit bien que le lieu infernal ne diffère pas de l'espace mondial, sous le soleil. Tantale donc fut jeté dehors.

Qu'est-ce que la nature ? L'enfer de la cité ou de la culture. Le lieu où le roi fut banni : exactement le lieu de ban ; à la lettre la banlieue de la ville. Cette exclusion montre que la distinction des deux espaces ou mondes, mondial et mondain, nature et culture, suppose une décision judiciaire, non point usuelle ou courante, tirée de la jurisprudence, mais extraordinaire, rendue par un tribunal fondamental, au cours d'un originel et transcendantal procès, un jugement premier, comme on dira jugement dernier, dit par ce tribunal, qui siège sur leur frontière.

De cet enfer, Anaxagore disait : « On descend vers l'Hadès de partout et toujours de la même façon. » Que vous partiez de Sparte ou de San Francisco, mourir se fait de même. Que vous vous trouviez exilé de Paris ou de Pise, gît dehors le monde sous un même ciel immarcescible. Vingt cités, un extérieur, identique pour les exclus et sous le soleil ; cent législations, un seul désert d'exil et toutes les banlieues se ressemblent. Mille cultures, une nature. Cent fascinations, une respiration. Cent mille livres de sciences sociales, livrant des millions d'informations, un savoir unique et une pensée rare.

Multiplicité de vies diverses et de singeries mornes pour une unique mort. D'où nous vient l'universel ? Du trépas. De l'expulsion. Du dehors. De l'enfer des pierres qui tombent. Oui, des astres brûlants. De l'autre monde. D'un monde sans hommes.

Il fut condamné à mort par contumace ainsi que ses enfants, précise une autre source : « Tout beau, s'écria-t-il, la nature, déjà, nous avait livrés à elle, eux et moi, depuis la naissance. » Que cent instances en hâtent la date, qu'elles ne pourraient cependant reculer – la peine de mort fut-elle inventée par cette arrogante impuissance ? –, une et une seule, en dernière instance, que nous ne connaissons pas, détient la décision sur le terme de la vie humaine. Autant de condamnations intempestives pour l'universelle mort.

Comme s'ils ignoraient leur destin commun, les mortels ont coutume de s'assembler en communauté pour se raconter ou se dicter les uns aux autres qu'ils ont inventé la mort. Commune donc, si on la laisse faire et seulement communautaire si l'on hâte son échéance, elle gît à l'intersection des lois positives et des lois naturelles ; de même la banlieue ou le désert d'exil, enfer, extérieur, espace sous les astres, dessinent l'intersection spatiale des verdicts positifs et des lieux naturels. Le tribunal et la mort se dressent au même endroit.

Qui me condamne donc à la peine capitale ? Mon corps, ma condition humaine et celle d'être vivant, la loi de la chute des corps si le ciel me tombe sur la tête, les lois du feu si je m'embrase – ou la persécution de tel tribunal? Le Code pénal, le code génétique? La nature ou ma culture? Leur confrontation a lieu devant un tribunal, comme si le judiciaire seul pouvait enregistrer l'unicité des lois du monde et de la mort face aux décisions multiples et relatives des codes sociaux. Anaxagore dit bien que la nature même le condamne à mort, comme s'il existait, en vérité, un tribunal, dehors, et donc un droit qui soumet à ses règles ces deux types de lois, celles des sciences naturelles et celles des sciences sociales. Et donc le droit l'emporte sur la science.

La ville exclut Anaxagore ou il meurt pour avoir dit — et le jury l'a retenu contre lui — que le soleil est une pierre incandescente. Nous vivons exilés, nous mourons condamnés ; les corps graves tombent, y compris les météorites, qui se détachent des orbites ; le feu brûle et il occupe l'univers de sa chaleur. Voilà trois lois naturelles, devenues telles, canonisées, devant le tribunal des lois positives. Le droit l'emporte sur la science et les Grecs, pourtant mathématiciens, n'inventeront pas la physique.

Hors la force brute et le dévoilement de gloire que donne l'histoire, il n'y a de vérité que judiciaire, au commencement.

Le droit jamais n'ordonne et parle ou écrit rarement à l'impératif ; ne désigne pas non plus, n'écrit ni ne parle à l'indicatif. Mais au performatif. Cela veut dire que la vérité, la conformité du dit ou du prescrit avec les faits découle immédiatement de son prescrit ou de son dit. Le performatif fait du dire un acte efficace, une sorte de *fiat:* au commencement du monde, le Dieu créateur parle ainsi, performativement : il dit et les choses se font en conformité avec la parole, comme si la création du monde avait été pensée comme une loi. Donc, le droit n'erre pas, il ne peut errer. Il n'y a pas d'erreur judiciaire ; ou plutôt, un tribunal peut se tromper sur les faits dont il doit connaître, mais le droit qu'il représente ne se trompe pas. L'arbitre, infaillible, parce que performatif, a toujours raison. Qu'il ait tort, et il a quitté l'arbitrage.

Le contrat social généralise cette loi de vérité, quand Rousseau dit que la volonté générale ne saurait errer. Certes. Si le contrat fonde la société, la politique, à son tour, se fonde sur le droit, puisque le contrat en est l'acte fondamental. La convention, en tant que réunion convenue de nombre d'hommes, se fonde tautologiquement sur la convention, au sens d'un accord contractuel et conventionnel. Or le droit, performatif, n'erre pas ; donc la volonté générale ne saurait se tromper. Rousseau réussit à démontrer cette évidence paradoxale sur laquelle vit la cité antique : le conventionnel, infaillible, reste vrai. L'Antiquité ne connaissait de vrai que produit par la convention et la gloire, nous dirions aujourd'hui par les médias et l'administration. Le vrai, qui nous paraît devoir se fonder sur autre chose qu'une convention arbitraire, se fonde au contraire sur celle-ci. L'arbitraire est infaillible. Théorème fondamental, quoique d'apparence paradoxale, du droit performatif : absolue nécessité, organique obligation d'un arbitrage. La mort ou ce théorème.

L'histoire de nos connaissances part de lui, ruse avec lui, le combat et le reconnaît, le hait mais ne peut se passer de lui. Qu'est ce que la science, la connaissance et même la pensée ? L'ensemble des confrontations de toutes les autres fondations de la vérité avec cet acte fondamental d'arbitrage. De sorte que toute certitude doit se présenter, pour enregistrement et confirmation, pour canonisation, devant un tribunal.

Taxinomie de ces causes

TEMPS ET HISTOIRE. Un procès finit toujours par statuer, par trancher sur le cas ; les juges appliquent les textes et la jurisprudence de sorte que leur sentence contribue à nourrir, en retour, la jurisprudence et l'évolution de la loi. La décision du tribunal ouvre donc un temps nouveau. Non point celui qui passe et coule, comme laissé à soi, mais digne de rapport et d'écrit : une histoire. Peut-être n'avons-nous que le droit pour transformer le temps en histoire, ou canoniser celui-là en celle-ci. Mieux encore, l'histoire se déploie moins par procès qu'elle n'est elle-même un tribunal permanent.

Un événement fait bifurcation ; inversement, une bifurcation fait événement. Or comme le prononcé qui finit une action choisit entre diverses routes, il ferme, comme un semi-conducteur, un sas ou un guichet, des possibilités pour en ouvrir une seule. La série de ces procès produit l'ensemble ou la suite des bifurcations par où coule l'histoire, par où passe le temps pour s'en trouver canonisé. Voilà les sommets ou les nœuds judiciaires distribués dans les réseaux que dessine l'histoire des sciences. Espace, logique. Or chaque décision, comme l'indique le mot, définit une région de l'espace, concret ou abstrait ; non seulement découpe sur le chaos laissé par la crue furieuse du fleuve ou de la guerre un carré de labour et l'attribue en nue-propriété à telle personne, mais aussi et surtout délimite des concepts et leurs propriétés, analytiquement. Le premier juriste de droit romain, logicien ou théoricien des ensembles inaugural, fut l'augure qui, avant de prendre les auspices, dessinait des plinthes ou des zones avec son bâton rituel parmi les sites possibles du ciel. Le droit décrit ce qui se passe dans un espace, réel, matériel, formel, linguistique et ainsi de suite : la découverte et la partition de cet espace original sont l'origine même du droit. Son langage, non prescriptif mais performatif, y décrit des situations et des attributions, des lieux et des propriétés, du coup, les y promeut.

La canonisation du temps et sa transformation en histoire viennent de ce que nous le référons à ces situations, dès qu'elles existent. Le juriste invente ce type d'abstraction. Non point la contrainte, non pas la morale ni la police, mais une cartographie analytique : en cela le droit fait figure de prégéométrie. Comme si les deux raisons, scientifique et juridique, analysaient ou découpaient premièrement une Terre existentielle et catégorique, fondamentale, transcendantale, archiradicale.

Exemples. Au commencement est le religieux. Supposons que tel groupe social pratique tels rites. A la moindre déviation, le collectif réagit et corrige pour que se ramène l'équilibre de la norme ; que la divergence s'accentue et il faut choisir entre l'orthodoxie et l'hérésie. D'où le conflit religion-religion qu'un procès seul peut trancher : Jésus devant le sanhédrin ; conciles et réformateurs, Luther, Calvin ou Jean Servet.

Mais telle religion promeut, parfois, des lois contraires à celles du roi ou du régime en vigueur. D'où le conflit religion-politique, encore tranché par un procès, des prophètes face aux rois ou celui de Jésus, derechef, devant Ponce Pilate, où le Rédempteur prononça les mots canoniques: mon royaume n'est pas de ce monde.

A chaque sentence s'ouvre un espace et naît un temps. Eglises et sectes se définissent et buissonnent; à chacune son terrain et son histoire. De même, le procès d'Antigone face à Créon définit dans l'espace et fait naître dans le temps une certaine morale par rapport à la puissance politique, ou un droit privé par rapport au droit public.

L'une après l'autre naissent les sciences, chacune cherchant à marquer ses limites et ses attributions originales, j'allais dire sa juridiction. Nous ne saurons sans doute jamais comment ni où ni par qui en réalité elles commencèrent, mais nous ne pouvons pas oublier les actions judiciaires qui sanctionnèrent à la fois leur entrée en histoire et dans leur vérité, exactement leur canonisation.

Elles se séparent de la politique; leur terrain se distingue de l'espace collectif, leur contrat diffère du contrat social, leur langage ne se dit ni ne s'écrit comme le discours public et l'histoire de leurs vérités bifurque. Donc à chaque science son procès face au tyran ou au pouvoir: voici celui de Zénon à l'origine des mathématiques, celui d'Anaxagore au début manqué de la physique, de Galilée, à son émergence réussie, de Lavoisier, quand commence la chimie, et tant de petites causes anti-darwiniennes lorsque la biologie moderne se lance.

Elles se distinguent de la religion: leur texte diffère de l'écrit sacré, leurs vérités n'ont point les mêmes références. Voici le procès de Galilée, à nouveau, pour l'astronomie et la mécanique, et, encore, les affaires qui agitent les fondamentalistes bibliques face à la théorie de l'évolution.

Qu'ont-elles à faire avec la morale ? Celle-ci s'écrit à l'impératif et le savoir à l'indicatif, comme le droit, sans être performatif comme lui. Se forment aujourd'hui des comités locaux et nationaux d'éthique médicale, qui cherchent à concevoir des lois, encore non écrites, comme celles auxquelles Antigone se référait, pour l'amour. De même, nous avons besoin d'une éthique collective face à la fragilité du monde.

Ces procès successifs délimitent les espaces respectifs des sciences et leurs attributions, en les distinguant des autres domaines et autres types de vérité, par d'autres procès déjà distingués : cette multiplicité de champs, religions, politiques, morales, sciences... définit assez bien ce que nous appelons laïcité, concept global et pluraliste assez proche de cette justice distributive. Saint Thomas d'Aquin, qui introduisit le premier un droit positif indépendant d'une législation divine universelle, inventa, non certes le concept de laïcité, mais son usage effectif.

Nous connaissons des sociétés où tout est religieux, d'autres où tout est politique et ainsi de suite : chaque fait social y tend à devenir un fait social total. Le local envahit le global et devient totalitaire ou intégriste. La justice et la laïcité inversent cette tendance et luttent contre elle en assignant places et attributions. Fait social total, la politique dicte à la biologie ses vérités mitchouriniennes ; que la religion le devienne et elle impose son dogme à Bruno, Galilée ou aux disciples de Darwin. D'où les procès scandaleux dont l'histoire des sciences souffre moins qu'elle n'en sort.

Mais que, soudain, les sciences, qui bénéficient de l'aura victimaire et du triomphe justifié de leur type de raison dans le temps de l'histoire et l'espace de la Terre entière, occupent la place en devenant, à leur tour, un fait social total, et dictent leurs vérités aux éthiques, aux droits, à la politique, aux religions, aux philosophies, voici que l'injustice reviendrait, symétriquement, de l'autre côté du sens, de l'espace et du temps, mettant cette laïcité de nouveau en péril. Verrons-nous s'ouvrir quelque procès pour le moment inconcevable, quelque action nouvelle toute différente ? Il arrive parfois que ce qui contribue à la libération se retourne et devienne un pouvoir qui nous tienne en esclavage.

En vertu de quoi, la suite des procès en canonisation continue, irrésistiblement, à l'intérieur même des sciences, dès lors qu'elles sont canonisées. Autrement dit, elles se séparent les unes des autres, se distinguent entre elles et buissonnent, en instituant, intrinsèquement, un réseau de juridictions tel qu'aucune ne se juge compétente hors de son terrain propre, ce qui s'appelle parfois falsification et qui ressemble assez au droit de propriété agricole, à la compétence d'un tribunal ou à tel partage politique et militaire. Historiquement mouvante, la classification des sciences reproduit une cartographie.

Alors, l'histoire des sciences ressemble, comme une sœur jumelle, à celle des religions citée tantôt et notre cycle se boucle. Les vieux conflits religion-religion munis de leurs prétoires pour hérétiques, brûlant des sorciers encensés comme saints par après, se reconduisent dans d'interminables conflits sciences-sciences, réglés par les tribunaux internes permanents qui régissent la vie scientifique. Ainsi l'histoire des sciences laisse-t-elle derrière elle autant d'exclus que celle des religions : Boltzmann se suicide sur une plage de l'Adriatique, Abel meurt oublié à la fleur de l'âge, on n'en finit pas de rappeler des précurseurs jadis méprisés.

Les philosophes rêvaient autrefois d'une science des sciences ; nous vivons enfin réveillés de ce songe. Même l'épistémologie n'existe pas, sauf comme discours redondant et publicitaire. Renaîtrait-elle sous la forme d'une épistémodicée, qui décrirait les rapports entre le jugement et la vérité ?

Ainsi les procès de Socrate, de Jésus, de Galilée... ne font pas, et de loin, exception. Au contraire, ils dégagent une loi de notre histoire : que les lois de la cité, que les institutions, que l'organisation sociale, religieuse et politique acceptèrent à un moment de perdre à leur propre jeu. Les archontes d'Athènes, les pontifes et Ponce Pilate, les cardinaux de la curie, notre héritage consent à les mettre au pilori, où les rejoignent les membres du tribunal révolutionnaire qui fit trancher la tête de Lavoisier, chimiste, ou ceux du jury anglais qui accula Türing, logicien, au suicide, alors que ses inventions, en informatique, avaient contribué de façon décisive à sauver les îles Britanniques de l'invasion nazie, ou ceux de la justice soviétique dont l'ignominie freina la biologie dans leur pays, dans l'affaire Lyssenko.

Dans ce jeu à qui perd gagne, le condamné, alors, n'est plus celui qu'on accable. Cour d'appel devant laquelle ces condamnations se retournent contre leurs juges, voilà notre histoire. Selon les lieux et la puissance, les lois locales l'emportèrent, mais l'ensemble des appels à ces jugements créa notre temps : l'histoire des sciences a pour moteur la révision continue, et dans le même sens, de ces procès. Voilà un des secrets de la philosophie de Hegel : la réalisation progressive du règne de l'esprit, c'est-à-dire des sciences, a pour loi temporelle la dialectique, c'est-à-dire la logique des tribunaux.

Les lois d'abord l'emportent sur les sciences, procès après procès ; la science l'emporte sur les lois, puisque chacun est revu, à la lumière de la raison ; mais le droit l'emporte puisque la logique interne de l'histoire, même des sciences, reste celle du droit ; mais la science l'emporte puisqu'elle délègue toujours des experts auprès des tribunaux ; mais... La méta-polémique de la science et du droit, de la raison et du jugement, ne se règle pas définitivement et constitue le temps de notre histoire.

Au bilan général, l'histoire traditionnelle débat indéfiniment de savoir et de droit, des lois de la connaissance du monde mondial confrontées aux lois qui organisent le monde mondain. Opposition entre deux royaumes ; celui de ce monde et celui de l'autre monde, quel qu'il soit.

On comprend, dès lors, le divorce profond dans lequel nous nous débattons, sans issue possible. D'une part, l'histoire donne désormais toujours raison à la raison scientifique, sur laquelle veillent les héros fondateurs, tous victimes d'une erreur judiciaire et morts innocents ; l'autre monde, le monde objectif, a donc des raisons dont la raison arbitraire, dont l'arbitrage du collectif n'ont point à connaître, définitivement disqualifiés. Toutes les batailles localement perdues par la tactique savante se retournent en un triomphe global dans la guerre livrée par sa stratégie. Oui, la science l'emporte sur le droit ; et cela veut dire que les lois du monde des choses l'emportent sur les lois du monde des hommes. A terme, cela signifiera qu'on se moque de ce dernier.

Mais, d'autre part, cette longue guerre s'appelle, encore, l'histoire et elle a pour loi la dialectique, ou logique des tribunaux, qui, elle, n'a rien à voir avec le monde, seulement avec les disputes exquises auxquelles se livrent, entre eux, des hommes raffinés. Alors, et même globalement, le droit l'emporte sur les sciences ; et cela veut dire que les lois du monde des hommes l'emportent sur les lois du monde des choses. A terme, cela signifiera qu'on se moque de ce dernier.

Les grands législateurs d'un monde ignorent leurs équivalents dans l'autre. Faut-il réconcilier deux sortes de lois, deux législateurs, lier deux mondes ?

Galilée

Eppur, si muove ! Condamné, Galilée fait opposition ou semble interjeter appel : mais au-devant de quel autre tribunal ? A traduire en français son exclamation fameuse, on entend qu'elle oppose l'affirmation de mouvement : elle tourne ! à un adverbe, cependant, qui, tout bien pesé, désigne un repos suspendu. Mais il n'existe pas de juridiction formée pour la nouvelle mécanique.

Les cardinaux décident et tranchent au nom du droit canon, du droit romain et d'Aristote, le juriste physicien. Pour leur répondre, Galilée tente d'échapper à ces textes ou à ces conventions en se plaçant hors de leurs lois : « mon royaume n'est pas de ce monde », dit-il, en substance, ou, pour changer de référence : « le monde n'est pas de ce ressort ». Il fait appel vers une instance inexistante.

Le tribunal a-t-il raison ou tort ? Qu'importe. Comme la justice parle performativement et que ce qu'elle dit se met soudain à exister par le seul fait qu'elle le dit, puisqu'elle fait, en tout cas, jurisprudence, qu'importe, en effet, ici, d'avoir tort ou raison? La vérité judiciaire s'indexe elle-même ou se fonde sur soi. Sinon, il faudrait poser à tout tribunal la question: de quel droit juges-tu? et donc former, derrière lui, une nouvelle instance qui... nous voilà soudain engagés dans un procès infini. Non. Tel juge dit le droit à condition d'avoir le droit de dire: cela boucle en un cercle la régression infinie et se nomme compétence.

Comme celle de Jésus, la réplique de Galilée met en doute la compétence de qui juge. Et tous les deux ensemble prétendent qu'il existe un autre espace, royaume surnaturel hors de ce monde, terre naturelle en mouvement, qui puisse faire référence, récusent donc l'instance devant laquelle ils comparaissent et dont la compétence porte sur les affaires criminelles ou politiques dans le premier cas et, dans le second, canoniques. Il reste vrai que pour tout droit, il existe des espaces de non-droit, où les conventions diffèrent: ce tribunal n'y a pas compétence. On appelle de ce terme, même en sciences, le droit de juger, c'est-à-dire le droit d'exercer le droit. Donc l'appel se formule vers une autre compétence.

Or, si le tribunal en séance peut exhiber le texte de droit au nom duquel il juge, le contestataire ne le peut, puisque son texte, à lui, par définition, n'existe pas ou pas encore: s'il existait, l'accusé ne se référerait pas, en effet, à un espace de non-droit, sa cause viendrait aux affaires courantes. Le jury en place est donc fondé à exiger de lui un signe, un témoignage, qui rendrait plausible cet espace de non-droit, qui, au moins, l'indiquerait.

En réponse, le héros peut ou non manifester l'existence de choses hors texte, sur lesquelles il se fonde pour récuser le texte de loi. Inversement, le tribunal lui demande raison de ces choses, excédant la cause : l'espace du droit comprend les choses qui équivalent à des causes ou les causes qui valent des choses, alors que l'espace du non-droit contient des choses qui ne sont pas des causes, qui n'en sont pas encore ou même qui n'en seront jamais. Ce réservoir de références, on peut l'appeler transcendance. En droit romain, l'accusé se nomme *reus* et sa cause *res*. Appelons réel l'espace auquel il se réfère, dont il ne peut pas produire de texte.

Surtout et enfin, comme tout autre auteur, Galilée a besoin d'un tribunal quelconque pour que sa théorie, probable, se trouve canonisée, pour que son réel devienne rationnel et qu'advienne son texte à la vérité : en présence de l'équivalence des hypothèses astronomiques, en l'absence d'*experimentum crucis,* d'expérience décisive, la mécanique céleste demande un jugement décisoire, en dernière instance. La science le demande toujours.

Eppur, si muove ! Galilée fait opposition, interjette appel. Il évoque le monde des choses elles-mêmes, la terre et sa rotation, paisible, sans cause. Les magistrats religieux siègent sur la Terre husserlienne qui ne bouge pas, sur la Terre heideggérienne qui les enveloppe et les fonde. L'astronome face au cardinal découpe deux espaces, de droit et de non-droit, le premier de contrat ou de convention d'où l'on fait appel au second, naturel. Dans celui-ci, une Terre qui bouge paraît aussi étrange qu'un changement global aujourd'hui : chose sans ou avec cause ?

En opposition sur la question de compétence, le mécanicien interjette appel vers cette nature. Vers un droit naturel. Qui va naître, qui n'est pas encore né. Pas de performatif dans la nature.

Espace de non-droit, vraiment, ou, simplement, cour d'appel ? Jésus en appelle à un autre monde, Galilée aussi ; mais encore Hobbes, Montesquieu, Locke et Rousseau. Les deux premiers mettent en doute ou en balance tel jugement précis édicté par telle juridiction particulière, mais les philosophes du droit s'interrogent, depuis, sur les droits positifs, contrats ou conventions, pour les fonder ou les engendrer ou les amender ou les détruire, et en appellent, comme eux, à la nature dont on requiert qu'elle décide et juge, en dernière instance. Sans convention, de manière autofondée, transcendantalement. Ici sans contradiction se mêlent nature et surnature, histoire factuelle et conditions formelles, générales ou logiques, les déistes et athées, tous suspendus à la référence ultime, après laquelle il n'y a plus d'appel possible.

Or ce tribunal d'appel ou de dernière instance prononcera des arrêts si faibles et si généraux, si contradictoires, chez les philosophes considérés, indéfiniment soupçonnés par leurs contemporains et successeurs de le confondre avec leurs propres conventions, que la modernité ferme le droit naturel et ne dispose plus d'arrière-monde ou d'autre référence, réduite aux décisions fluctuantes ou à la violence bariolée des circonstances historiques. Obligés, par l'effacement de tout autre monde, à ne jamais pouvoir faire appel, nous contractons la première et la dernière instance, et ce resserrement nous définit tous. Nous survivons parmi des droits positifs ballottés par l'histoire des dominations.

Pendant ce temps, l'appel de Galilée demeure, mais ne trouve devant lui aucun tribunal compétent, au sein de ce qu'on appelle encore le droit. Et la nature qu'il requiert devient celle de la mécanique et de sa compétence. Alors, le droit naturel s'identifie aux sciences physiques : elles prennent la place qu'il laisse. Nous ne nous référons plus qu'aux expertises de la connaissance : ainsi donc nous savons, mais nous ne pouvons plus décider.

La science a tous les droits, seule. A l'origine, le droit la précède ; pendant l'histoire, ces deux instances s'opposent, l'une s'arrogeant les prérogatives de l'autre ; à la fin, la science, seule compétente, tient le terrain ou la Terre.

Nous nous interdisons ainsi de nouveaux messies ou d'autres Galilée. Sauf à rouvrir cette nature fermée, à inventer un nouveau droit naturel global. Car maintenant la Terre nous tient.

Par sa réussite éclatante, la science occupe l'espace du droit naturel. L'appel de Galilée à la Terre qui se meut et dont le mouvement ne pouvait, aux yeux des juristes du temps, assurer de référence fixe à aucun jugement, donne à la conquête de ce globe terraqué par le savoir exact comme un contrat de possession.

Galilée le premier enclôt le terrain de la nature, s'avise de dire : ceci appartient à la science, et trouve des gens assez simples pour croire que cela ne tire à aucune conséquence pour les droits positifs et les sociétés civiles, fermés sur les relations des hommes. Il fonde la société scientifique en lui donnant son droit de propriété ; du coup, fonde en profondeur la société moderne. Le contrat de connaissance s'identifie à un nouveau contrat social. La nature alors devient l'espace global, vide d'hommes, d'où la société s'absente, où le savant juge et légifère, qu'il maîtrise et où les lois positives laissèrent à peu près tranquilles les techniciens et industriels, appliquant innocemment ces lois de science, jusqu'au jour où les enjeux naturels se mirent à peser de plus en plus lourdement sur les débats positifs.

La nature gît hors le collectif : ce pour quoi l'état de nature reste incompréhensible au langage inventé dans et par la société ou inventant l'homme social. La science édicte des lois sans sujet dans ce monde sans hommes : ses lois diffèrent des lois du droit.

Les sciences expérimentales se rendent maîtresses de cet espace vide, désertique et sauvage, dont les philosophes pensèrent que, s'il existait, il comportait la condition, la source, le fondement, l'histoire, la genèse, la généalogie de tout droit, et même son déploiement multiple en plusieurs instances répondant à la question indéfinie : de quel droit ? et convergeant vers une référence dernière. En se rendant propriétaires de l'espace de non-droit, les sciences, compétentes, fournissent les experts auprès des tribunaux, donc décident avant et pour eux.

Le droit naturel s'éteint parce que la science a conquis son espace. Elle joue le rôle, maintenant, de notre jugement dernier. Dès lors, le droit et la science s'opposent comme jadis le positif et le naturel, toujours au bénéfice de celui-ci. Résultat du procès Galilée : la raison sans sujet, objective, l'emporte sur celle qu'un sujet peut dire, elle décide donc sans que vous ou moi y ayons à faire ou à dire.

Comment ne pas reconnaître encore, dans le procès Galilée, le débat biblique immémorial des prophètes et des rois ? Ceux qui se fondent sur la loi exigent du nouveau venu, qui prétend parler d'un autre monde, un signe miraculeux montrant vraiment qu'il vient d'ailleurs, de Dieu ou d'un autre monde.

Alors, levant la main, le mécanicien fait bouger toute la Terre. Cité en justice, il cite la Terre, fait appel à elle et la fait mouvoir – on sait que le verbe citer signifie, dans les langues anciennes, ébranler. Stupeur immense qui va changer l'histoire : elle se meut ! Qu'est-ce qu'un miracle ? L'irruption soudaine de la chose dans la cause, du monde dans le prétoire : tremblement de terre. De fait, elle branle ! Voilà le statut originel, réellement miraculeux, de la mécanique, nouvelle science du mouvement. La Terre phénoménologique s'ébranlait !

Nous n'en sommes pas encore revenus. Le prophète a renversé le roi. La science prend la place du droit et fonde ses tribunaux, dont les arrêts, désormais, feront paraître arbitraires ceux des autres instances. Et maintenant, que faire et comment décider, de quel droit, dans un monde et par un temps qui ne sait ou ne fait que savoir et qui ne fait que ce qui découle du savoir ? Où seule la science jouit de la plausibilité ? Où seuls ses tribunaux jugent de façon doublement compétente ?

Or voici du nouveau. Les limites de la connaissance, efficace et précise, celles de l'intervention rationnelle, n'avoisinent plus seulement l'ignorance ou l'erreur, mais encore le risque de mort. Savoir ne nous suffit plus.

Car, depuis ce matin, à nouveau la Terre tremble : non parce qu'elle bouge et se meut sur son orbite inquiète et sage, non parce qu'elle change, de ses plaques profondes à son enveloppe aérienne, mais parce qu'elle se transforme de notre fait. La nature faisait référence, pour le droit ancien et pour la science moderne, parce qu'il n'y avait aucun sujet en son lieu : l'objectif au sens du droit ainsi qu'au sens de la science émanait d'un espace sans homme, qui ne dépendait pas de nous et dont nous dépendions de droit et de fait ; or il dépend tellement de nous désormais qu'il en branle et que nous nous inquiétons, nous aussi, de cet écart aux équilibres prévus. Nous inquiétons la Terre et la faisons trembler ! Voici, de nouveau, qu'elle a un sujet.

La science a conquis tous les droits, voici déjà trois siècles, en appelant à la Terre, qui répondit en se mouvant. Alors le prophète devint roi. A notre tour, nous faisons appel à une instance absente, lorsque nous nous écrions, comme Galilée, mais devant le tribunal de ses successeurs, anciens prophètes devenus rois : la Terre s'émeut ! Se meut la Terre immémoriale, fixe, de nos conditions ou fondations vitales, la Terre fondamentale tremble.

Cette crise des fondements, non intellectuelle, celle-là, ne touche point à nos idées ni au langage ni à la logique ni à la géométrie, mais au temps et à notre survie.

Pour la première fois depuis trois cents ans, la science s'adresse au droit et la raison au jugement.

Rencontres historiques de la science et du droit

Or ils cohabitèrent parfois.

Exemples. Aristote définit la justice par la loi de l'équilibre, dont le schéma de la balance exprime le modèle technique, et l'analogie de proportion a/b=c/d donne l'équation universelle : existait-il, dans le monde grec ancien, deux énoncés plus généraux que le dessin de la machine simple la plus complexe et la méthode « algébrique » la plus efficace ? La justice distributive a déjà quitté l'égalité stricte, trop naïve, et recourt à la compensation : s'équilibrent deux poids inégaux par l'inégalité des bras du bilan ; du coup, se trouvent déjà respectées maintes différences. La plus haute science du temps dit le meilleur droit.

Plus de deux mille ans plus tard, Leibniz invente d'intégrer les multiplicités différentielles. Certes, il y a des différences, mais le calcul intégral y pourvoit. La somme la plus globale est toujours la plus juste, parce qu'elle laisse sauves le plus de pluralités. Voilà pour la méthode la plus générale de l'époque, et voici pour la technique : tout, dans la nature, suit les voies extrêmes définies par le calcul des variations. Dieu crée mécaniquement le meilleur des mondes, comme la chute des corps suit la plus grande pente et la sphère des gouttes de pluie le plus gros volume ou le pendule la courbe du moindre temps. Argument décisif pour sauver Dieu, devant le tribunal des hommes, de l'accusation d'avoir créé le mal. La loi naturelle la plus générale s'applique au problème juridique universel et le résout.

Juger vaut peser : calculer dans l'acte, penser pour le mot. La justice d'Aristote cherche un certain milieu compensé alors que celle du Dieu de Leibniz suit les bords extrêmes. Les deux théories règlent l'univers par des singularités aux limites.

Ces lois de nature, presque toujours, reviennent à des expressions d'équilibres ou d'invariances par variations, à des lois structurales, y compris celles qui donnent la meilleure part au temps, les lois d'évolution. Nous pourrions les nommer, à la lettre, des lois de justice. Dans ces cas conviennent, par une certaine équation, l'équilibre fluctuant et différentié des multiplicités inertes et celui des espèces variables mais délimitées, avec l'équité en matière collective.

La justesse naturelle ne pose donc pas d'autres questions que la justice sociale, que celle du droit ou de la morale. Ce droit naturel, inspiré par les sciences naturelles et dont les technologies, aujourd'hui globales, retrouvent les grandes lignes, ne diffère pas des droits humains, mais reste parallèle à eux.

A mesure qu'avance l'histoire des sciences, progresse et se raffine la notion d'équilibre, en intégrant dans un concept de plus en plus large de plus en plus de déséquilibres. Sotte l'invariance sans des différences : Platon nous fait rire de ne pouvoir concevoir qu'une toupie bouge d'autant moins sur son pied qu'elle tourne vite sur son axe ; la chose lui paraît contradictoire. Par l'analogie de proportion, Aristote, au contraire, intègre à l'égalité stricte l'inégalité des bras de la balance. D'Aristote à Leibniz, on passe de la statique au calcul des variations, où la stabilité tient compte d'un certain mouvement. La tendance ne cessera plus : l'ancienne immobilité assimile les variations les plus turbulentes, comme si se développait une course entre une statique élargie et l'ensemble des mouvements concevables. Un écart nouveau met en branle un système que telle invariance nouvelle ramène.

Une chréode, par exemple, met en évidence l'équilibre global d'un flux qui s'écoule : déplacez latéralement le lit ordinaire d'un fleuve, il reviendra vers ses anciens creux ; l'orbite du mouvement même cherche le repos. La théorie du chaos distribue, quant à elle, ses attracteurs sur des courbes fractales, d'où la découverte d'un ordre raffiné sous les apparences du désordre le plus inquiétant : on dirait une bonne théorie de l'histoire. Voici donc des concepts de plus en plus larges qui nous font comprendre la constance dans le mouvement ou, sous les pavés de ce tohu-bohu, la plage d'une distribution.

J'imagine que le climat se réfère, de même, à des invariances générales qui absorbent la dévastation courte des plus brusques ouragans et les plus lents cycles des courants marins. Nous ne savons pas encore ce que recouvre le *global change* ni si cette appellation a un sens. On peut imaginer que les changements les plus drastiques finissent par s'intégrer dans une somme plus haute assez stable, intégrant les questions d'ordre physique et les problèmes collectifs : alors, toutes deux chaotiques, au sens le plus raffiné, la géographie comprendrait l'histoire, et celle-ci celle-là. Peut-on penser, estimer, calculer pour finalement piloter les changements de la Planète-Terre sans intégrer dans un modèle global, mêlant les variables naturelles et humaines, toutes les modélisations locales ainsi que leurs éléments ? Il s'agit toujours de la même question, d'invariances et de variations, de désordre et d'ordre, portée au plus haut niveau d'intégration. Comme la philosophie jadis, la science pense enfin universellement, garde et perd, parce qu'elle tente de les associer, tous les découpages qui firent historiquement sa puissance et son efficacité. Elle pense en appareillant du local au global.

Or l'idée de justice désigne justement l'horizon poursuivi par un travail continu d'élargissements par lesquels un équilibre absorbe des écarts de plus en plus considérables, en les laissant subsister. On dirait alors que l'histoire des sciences suit, sur ce point, la série des appels juridiques du local vers un global.

En somme, la science entière pourrait-elle s'exercer sans une ou des constantes générales qui assurent le fonctionnement réglé de la raison ? Comme si ces constantes renvoyaient en dernier ressort à la Terre fondamentale, immuable, que la science au travail distribue en multiplicités de variables exprimant des propriétés ou des lois positives ?

La science a-t-elle un même fondement et la même allure que le droit ? Existe-t-il donc une seule raison, qui se distribuerait en régions attribuables respectivement à la justesse et à la justice ?

Principe de raison

Leibniz énonce sous sa forme latine le *principium reddendae rationis,* principe selon lequel non seulement toute chose a sa raison suffisante, mais aussi raison doit être rendue. Nous le savons, il fonde la connaissance scientifique et donc justifie son nom.

Je ne sache pas que l'on ait observé l'usage, ici, du verbe rendre sous la plume de l'un des juristes éminents de son époque. Second dans le temps, ce retour exprime ou une réciprocité ou une suite par rapport à une action préalable et donc que celui qui rend a dû d'abord recevoir quelque don. Le pricipe de raison exige de lui qu'il le fasse, établit donc l'équilibre usuel en matière de contrat et se fonde sur l'équité en matière d'échange. Il s'agit d'une équation d'optimum, de symétrie et de justice, et donc, antérieurement à elle, d'un contrat réel ou virtuel. Alors la raison se fonde sur un jugement.

Mais qui donne et quoi, à qui nous devons rendre raison ? La réponse ne fait aucun doute : à toute chose. Si toute chose a sa raison suffisante, il faut la rendre à cela même, bien nommé, que nous appelons le donné. Le monde, globalement, et les phénomènes, prochains, locaux ou lointains, nous sont donnés ; il y aurait de l'injustice, un déséquilibre, à ce que nous recevions ce donné gratuitement, sans jamais rendre quoi que ce soit. L'équité donc veut que nous rendions, au moins autant que nous recevons, c'est-à-dire suffisamment.

Que pouvons-nous rendre au monde qui nous donne le donné, c'est-à-dire la totalité du don ? Que rendre à la nature qui nous donne la naissance et la vie ? Réponse équilibrée : la totalité de notre essence, la raison elle-même. Si j'ose dire, elle nous donne en nature et nous lui rendons en numéraire, en monnaie humaine de signe. Donné dur, réciprocité douce.

Le principe de raison consiste donc en l'établissement d'un contrat équitable, celui que nous avons toujours passé, celui que nous observons en temps réel avec la nature.

Le principe de raison décrit le contrat naturel : identiquement raison et jugement.

Au temps des rationalistes classiques, le principe ne recommandait que le souci d'établir des lois : celles de la physique ou des autres sciences naturelles se subordonnent au principe de raison comme les lois de n'importe quel droit positif par rapport au principe universel et quasi naturel de l'équité des échanges ou de l'équilibre des contrats. Ainsi le positivisme ou même le rationalisme sont des philosophies à fondement juridique.

Ce contrat rationnel qui équilibre le donné par la

raison achève le conflit transhistorique entre le monde et nous, guerre marquée par mille défaites pour quelques rares victoires, et autant de stratégies de fausse obéissance et de vrai commandement.

Il exprime donc un pacte, une sorte d'armistice ; nous retrouvons la guerre dont nous sommes partis. Nous ne l'aurions jamais signé tant que nous étions vaincus au cours de ces affrontements. Avant lui le donné nous donnait plus de dommages que de dons, nous nous trouvions asservis par la nature. Il inaugure donc une ère nouvelle, au cours de laquelle nous allons arraisonner le monde. Certes, nous lui rendons raison d'abord, mais nous le mettons à la raison. Le rationalisme et le positivisme chantent victoire. Le doux a raison des duretés. Le monde entre dans le livre. Le pacte d'armistice clôt une guerre qui a vu la raison gagner.

Au verbe rendre issu du droit s'ajoute le mot raison qui en vient aussi, parce qu'il signifie proportion, répartition, modération dans l'équilibre. Le principe de raison suffisante établirait un contrat qui ne serait pas tout à fait rationnel si, de plus, il n'accédait au raisonnable. Il ne faut rendre à la nature ni moins de raison qu'en demande le donné ni plus assurément. Que la raison excède le donné, le contrat se rompt, aussi sûrement que pour la raison inverse. Le principe exige de parvenir à un équilibre. De même, une condition nécessaire devient suffisante si et seulement si l'implication qui la relie au conditionné se retourne, réciproque, équilibrée, du conditionné vers sa condition. D'une certaine manière, cette double flèche montre un équilibre.

Le principe de raison exprimait, au temps de Leibniz, le contrat rationnel qui fondait les sciences de la nature, comme si la raison elle-même accédait à équilibrer le donné, passé une longue période où elle eut le dessous. Aujourd'hui, à l'inverse, le donné lui-même tend à disparaître sous la lourdeur et la puissance des productions de la raison. Nous avons donc tendance à relire le principe de raison sous la forme d'un contrat raisonnable.

Pourquoi l'appeler contrat naturel ? Du temps de Leibniz, l'avocat, dans cette cause, plaidait du côté de la raison et jamais en faveur du donné, si prégnant qu'il nous débordait de toutes parts. D'une certaine manière, la nature elle-même nous forçait à rendre raison, comme on fait rendre gorge au vaincu. Aujourd'hui, nous-mêmes, hommes raisonnables, sommes amenés à plaider du côté du donné qui, depuis quelque temps, rend les armes. Le livre rentre dans le monde sans que le monde sorte du livre.

Le principe de raison revient à un contrat rationnel quand la raison obtient gain d'équilibre dans sa cause contre la nature, et reviendrait, à l'inverse, à un contrat naturel, si la nature, par nos voix, obtenait le même gain d'équilibre dans la cause qui l'oppose à la raison. Par raison raisonnable, le principe de raison équilibre sa raison. Par modération, il distribue avec équité la puissance, puisque raison veut dire à la fois l'excès de la puissance et sa limitation. En lui et enfin, les sciences rationnelles rejoignent le juste droit et la raison le jugement.

Avocat du Bon Dieu dans la cause introduite par les hommes contre Lui, sur le problème du mal, Leibniz acheva cette *Théodicée.* Défenseur de la raison, de même, ami de la vérité donnée par Dieu, il commença, par le principe de raison, cette *Epistémodicée* que nous avons continuée, rapport de la raison au jugement, tellement inévitable que Dieu lui-même ne put y échapper.

La question du mal se pose encore, devant la responsabilité de nos sciences, de nos techniques, de notre vérité. Qu'en faire ?

Certains philosophes dont Leibniz ont vocation d'avocats ; d'autres de procureurs, comme Socrate et nos contemporains, volontiers policiers, en sciences sociales ; d'autres enfin jugent, comme Kant... En grec paraclet, l'avocat, porte le nom du Saint-Esprit ; et en hébreu, le procureur s'appelle Satan.

La philosophie peut-elle échapper à ce prétoire ? Qu'y dire aujourd'hui, quand la science s'adresse au droit et la raison au jugement ?

La raison et le jugement

Distinguons deux raisons ou la raison du jugement. Pour la première, qui préside à la connaissance et bientôt à la science, la nécessité du vrai vient de la fidélité au fait ou de la démonstration. La vérité y inverse l'erreur, le contresens ou les ombres portées par l'imaginaire. Depuis l'âge des Lumières, cette raison nous illumine, en principe. Privés d'elle nous penserions faux. Pour le second, qui préside à la raison de droit, la nécessité des arbitrages, pis donc, de l'arbitraire, vient de la violence et de la mort. Sans arbitre, nous nous exposerions aux pires risques, nous nous entre-tuerions. La justice a compétence pour connaître de la cause et la justesse est compétente pour connaître la chose.

De l'erreur découle la raison véracе et de la mort le

jugement. Pour nous défendre, temporairement, de celle-ci, et prétendre nous détacher définitivement de l'autre, nous avons besoin des deux raisons, de la connaissance fidèle et du jugement prudent.

Or comme le risque d'erreur nous faisait courir, à la limite, de moindres périls que le danger de mort, nous mettions, à juste titre, le jugement au-dessus de la raison et le droit au-dessus de la science. Par lui se définit la tradition et la nouveauté par elle. Le vieillard d'expérience aime la prudence alors que raisonne le jeune homme.

La montée en puissance des sciences exactes bouleversa cet état de fait, parce que leur efficacité se mit à nous préserver de la mort, par techniques et remèdes. A partir des Lumières, au tribunal du jugement siège la raison ; l'expertise incline les verdicts de manière décisive ; le grand savant recueille la gloire qui, jadis, illustrait le législateur ; la jeunesse rationnelle ou expérimentale l'emporte sur la vieillesse raisonnable et expérimentée. Au-dessus du jugement s'élève la raison.

A ce jour, nous assistons au rattrapage de celle-ci par celui-là. Les crises successives des sciences et des techniques associées, dont chacune, à l'apex de sa puissance, passa par le voisinage du danger de mort — atome et bombe, chimie et environnement, génétique et bioéthique —, ramènent l'exigence d'une prudence, pilote de l'efficace et de la vérité. Nous fûmes vieux, nous étions jeunes, nous voici mûrs. Pourquoi l'histoire humaine suivrait-elle un même cours que celui de la vie organique ?

Notre collectif peut, aujourd'hui, équivalemment, mourir des productions de la raison ou se sauvegarder par elles. La raison qui décidait ne peut plus trancher sur elle-même. Elle recourt au droit. Et notre jugement ne peut se passer des productions de la raison. Il recourt aux sciences. Croix de nos philosophies.

Pas de contradiction ici, mais un cycle positif. Mieux vaut donc faire la paix, par un nouveau contrat, entre les sciences, qui traitent avec pertinence des choses du monde et de leurs relations, et le jugement, qui décide des hommes et de leurs rapports, entre les deux types de raison aujourd'hui en conflit, parce que leur destin désormais se croise et se mêle et que le nôtre dépend de leur alliance. Par un nouvel appel à la globalité, il nous faut inventer une raison rationnelle et pondérée ensemble, qui pense vrai en même temps qu'elle juge prudemment.

Or nous ne croyons plus à des facultés de la conscience, raison et jugement, qui avoisineraient, dans un contenant clair-obscur, imagination ou mémoire parmi d'autres semblables fonctions ou organes, ni aux concepts munis de hautes majuscules, mais nous connaissons des hommes ; il faut en inventer ; pour les former, il faut un enseignement, et pour lui, un modèle. Traçons donc un portrait qui n'eut jamais d'exemple pour qu'il suscite des imitateurs.

Le Tiers-Instruit

Le Sage d'aujourd'hui mêle en lui le Législateur des temps héroïques et le titulaire moderne du savoir rigoureux, sait tisser la vérité des sciences à la paix du jugement, mêle intimement nos héritages égyptiens et romains, à la source de nos lois, et nos legs sémites et grecs, donateurs de connaissance, intègre les sciences efficaces et rapides à nos droits lents et prudents.

Jeune et vieux en même temps, le Sage accède à l'âge mûr.

Je l'appelle Tiers-Instruit : expert dans les connaissances, formelles ou expérimentales, versé dans les sciences naturelles, de l'inerte et du vivant, à l'écart des sciences sociales aux vérités plus critiques qu'organiques et à l'information banale et non rare, préférant les actions aux rapports, l'expérience humaine directe aux enquêtes et aux dossiers, voyageur de nature et de société, amoureux des fleuves, sables, vents, mers et montagnes, marcheur sur la Terre entière, passionné de gestes différents comme de paysages divers, navigateur solitaire au passage du Nord-Ouest, parages où le savoir positif traversé communique, de manière délicate et rare, avec les humanités, inversement versé dans les langues anciennes, les traditions mythiques et les religions, Esprit fort et bon Diable, enfonçant ses racines dans le plus profond terreau culturel, jusqu'aux plaques tectoniques les plus enfouies dans la mémoire noire de la chair et du verbe, et donc archaïque et contemporain, traditionnel et futuriste, humaniste et savant, rapide et lent, vert et chevronné, audacieux et prudent, plus éloigné du pouvoir que tout législateur possible et plus proche de l'ignorance partagée par le grand nombre que tout savant imaginable, grand peut-être mais peuple, empirique mais exact, fin comme soie, grossier comme toile résistante, sans cesse en errance sur l'empan qui sépare la faim de la satiété, la misère de la richesse, l'ombre de la lumière, la maîtrise de la servitude, le chez-soi de l'étranger, connaissant et estimant la méconnaissance autant que les sciences, les contes de bonne femme plus que les concepts, les lois aussi bien que le non-droit, moine et voyou, seul et courant les voies, errant mais stable, enfin surtout brûlant d'amour envers la Terre et l'humanité.

Ce mélange demande un enracinement paradoxal dans le global : non dans une terre, mais en Terre, non dans le groupe mais partout ; l'image de la plante n'a plus guère de sens. Depuis que nous avons décollé, en un puissant et lointain appareillage, nous comptons sur des liens immatériels plus que sur des racines. Serait-ce donc la fin des appartenances ?

Elevage

Que ce sage fasse souche. L'élevage du petit d'homme se fonde sur deux principes : l'un, positif, concerne son instruction ; l'autre, négatif, touche à l'éducation. Le second forme le jugement prudent et le premier la raison vaillante.

Nous devons apprendre notre finitude : toucher aux limites d'un être non infini. Nécessairement, nous aurons à souffrir, de maladies, d'accidents imprévisibles ou de manques, nous devons fixer un terme à nos désirs, ambitions, volontés, libertés. Nous devons préparer notre solitude, face aux grandes décisions, aux responsabilités, aux autres croissant en nombre, au monde, à la fragilité des choses et des proches à protéger, au bonheur, au malheur, à la mort.

Cacher cette finitude dès l'enfance nourrit des malheureux, entretient leur ressentiment devant l'inévitable adversité.

Nous devons apprendre, en même temps, notre véritable infinité. Rien ou presque ne résiste à l'entraînement. Le corps peut faire plus qu'on ne croit, à tout s'adapte l'intelligence. Eveiller la soif intarissable de l'apprentissage, pour vivre le plus possible de l'expérience humaine intégrale et des beautés du monde, et poursuivre, quelquefois, par l'invention, voilà le sens de l'appareillage.

Ces deux principes rient des voies qui guident l'élevage inverse d'aujourd'hui : finitude étroite d'une instruction qui produit des spécialistes obéissants ou des ignorants pleins d'arrogance ; infinité du désir, droguant à mort de petites larves molles.

L'éducation forme et renforce un être prudent qui se juge fini ; l'instruction de la raison vraie le lance dans un infini devenir.

La Terre fondamentale est limitée ; l'appareillage qui part d'elle ne connaît pas de fin.

CORDES, DENOUEMENT

Port de Brest

Blonde, Eve arbore une robe blanc et noir, à larges roses imprimées, courte ; ses souliers vert acide répondent à la ceinture de même couleur ; en pantalon bleu marine, très brun, frissonne sous un chandail jacquard Adam. Ils s'embrassent avec bonne volonté. Siffle la bise d'octobre qui plaque le bateau à quai. On attend l'appareillage.

La planche mise, en pente raide à cause de la marée haute, les passagers embarquent péniblement, chargés de leurs ballots et traînant les enfants ; ils présentent en tremblant leur billet au matelot qui les regarde l'un après l'autre d'un œil gentil et rieur. Il faut du temps pour que chacun s'installe, qui en bas pour éviter le froid, d'autres à l'avant pour rester au grand air.

La planche retirée, la rambarde bouclée, se dégagent la garde montante et le traversier avant. Le soleil se lève à peine. Demeurée à terre, Eve rit vers son ami, debout, au milieu du pont ; Adam la domine d'une taille. De son sac elle sort une grosse pomme rouge et la croque. La proue fait déjà un petit angle avec l'embarcadère. De ses deux mains réunies recourbées en berceau, Adam fait signe à Eve de lui envoyer la pomme. Elle la lance, il la reçoit. Elle éclate de rire à nouveau.

En partance pour les îles du Ponant, l'*Enez Eussa* s'écarte du quai, lentement. Restent encore à poste les aussières de l'arrière. Adam croque dans le fruit, et, souriant à son tour, le renvoie dans les mains d'Eve. Maintenant levé, le soleil permet aux voyageurs de s'intéresser à autre chose qu'à leurs petits malaises. La fumée du tuyau envahit le pont avant de fuir dans le lit du vent. La fille reçoit la grosse pomme rouge entamée, la regarde, hésite, et, franchement, y plante à son tour toutes ses incisives. Tombe à l'eau le traversier arrière que les matelots halent et rangent. Le cul du bateau s'écarte pendant que vole la pomme une troisième fois, d'elle à lui. Les machines forcent le régime, le bateau fait tête vers la sortie de la rade. De la mer à terre passe encore la pomme, moins grosse.

Adam et Eve ne rient plus, mais se pressent, au contraire. Lancent, attendent, reçoivent, croquent, renvoient. Assis à l'arrière, j'observe le manège d'abord involontaire, devenu précipité, nécessaire et laborieux, et je me perds dans le compte. Décrivant des orbes allongés à mesure qu'elle mincit et que le bateau, roulant déjà, s'éloigne en donnant de la sirène, la pomme passe et plane de plus en plus majestueusement. Très sérieux, appliqués même, les deux amants s'adonnent à un travail préoccupant, sur lequel ils se concentrent, jusqu'à ne plus voir qu'ils deviennent le spectacle des marins et de quelques passagers. Du quai à bord, du pont vers l'embarcadère, têtue, la pomme, comme une flèche vive, file encore, file toujours des liens qui s'agrandissent et se distendent entre les mains que le départ désunit.

Je jurerais qu'à la toile d'araignée tissée par le fruit qui va et vient, comme une navette, le navire a du mal à s'arracher, encore noué à terre par les aussières visibles et invisibles des souvenirs et des regrets flottants. Rien de plus fort, le sait-on, que ces fils d'arantèle ! Pendant combien de retours et d'allers déchirants la messagère s'élève-t-elle et tournoie-t-elle, de plus en plus légère sur ses trajectoires successives ?

Mais l'appareillage se termine, le fruit se consomme, et quand le trognon ne contient plus que des pépins, la large parabole qui doit le déposer dans les mains de qui doit le renvoyer s'achève, en manquant la cible, au beau milieu de l'eau sale.

Sans un signe, Adam et Eve se tournent le dos, désormais dépareillés. A pareille distance, nul ne reconnaît plus le corps de quiconque.

Des mouettes serpentines plongent pour se disputer ce qui reste et qui surnage de la bonne volonté. Des graines.

Base de Kourou

Retardé de vingt-quatre heures, pour une panne imaginaire faussement repérée par les ordinateurs, vient de tomber l'ordre de la mise à feu : trois, deux, un, zéro. Ariane appareille-t-elle ?

Les nuées puis la lueur se voient d'abord. Quand le son parvient, les oreilles ne peuvent le croire. Non, il ne s'agit du bruit d'aucun moteur connu : entre les mangroves mugissantes et l'orée de la forêt, parmi la nuit équatoriale, advient un événement qui appartient à l'ordre de la météorologie et non à quelque technique d'origine humaine ; sur nous passe un orage, typhon, ouragan, cyclone, ce que nos anciens appelaient, justement, météore : le tonnerre de Dieu, la foudre, rafales et nuages.

S'écoulent quelques instants, pendant lesquels nous perdons d'ouïe et de vue ce fléau de l'atmosphère. Flamme, l'éclair devient maintenant signal, puis un point brillant, qui prend sa place au milieu du fouillis des étoiles. Allumage du deuxième étage : apparaît une comète, pendant un moment. Nous cherchons éperdument à la suivre, au milieu du ciel nocturne. En une minute s'allume la nouvelle planète. Ariane appartient alors, sous nos regards, à l'astronomie. L'appareillage vient de relier les basses régions de l'air, où semblent régner les météores en désordre, avec le haut du ciel que l'ordre des astres règle.

Quand appareillent les vaisseaux, ils inclinent leurs antennes vers un monde étrange par rapport au quotidien terrien : sur la plaine hauturière, rien ne ressemble jamais à ce qu'on a quitté. Le carré y devient rond et le stable mouvant ; vous ne ferez plus jamais les mêmes gestes, vous parlerez un langage singulier, que nul ne comprendra s'il n'est pas passé par là. Partir : rompre tous les liens.

Sortir de ce monde pour pénétrer dans un autre, où rien ne sera pareil, cela se dit appareiller. Munis de leurs apparaux, étrangers à terre, adaptés à la mer, larguant les aussières et tranchant le tissu des anciennes liaisons, les vaisseaux savent assurer cette transition bouleversante. On va vivre autrement, peut-être pendant longtemps, ailleurs, où le veilleur n'aura pour compagnons que le vent et le ciel ; ce pour quoi les marins portent toujours sur eux, au retour, ce petit air insolite.

Quel génie clairvoyant et mélancolique a donc composé la partition du clairon, pour l'appareillage ? Elle déchire le cœur plus encore que la sonnerie aux morts.

Qu'une automobile traverse la ville, elle roule sans doute de Toulouse à Bordeaux ; il réunit Paris à Madrid, cet avion qui ronfle sur nos têtes ; bruit et fumées, noise discourtoise et ordurière pour un changement seulement apparent ! Vautrés dans un véhicule d'où ils ne regardent rien et qui ne quitte ni les couloirs ni les guichets obligés, les passagers lisent le journal, anxieux de ne pas laisser leur espace ni leur temps ni les meurtres ordinaires dont les nouvelles les droguent.

Ici, à la lisière d'une forêt d'où l'on sort rarement vivant, de cet autre monde qu'on appelle primitif, l'ouragan Ariane emmène une station de signaux dans l'espace, en reliant le ciel, chaotique, des météores à celui des astronomes, l'espace ordonné de la mécanique céleste.

Or, si Bordeaux et Madrid dépendent un peu de nous, puisque nos ancêtres les fondèrent et que nous nous imaginons les gérer, le climat ni les constellations n'en dépendirent jamais. Nous ne faisons ni ne défaisons ni le ciel ni les saisons.

Les anciens véhicules de l'ancienne technique vont de ce monde à celui-ci encore, d'une ville à une capitale, sans abandonner les directives de routes qui, depuis tantôt, sont devenues de simples rues, puisque, monotone et dominant, le modèle de la ville envahit impitoyablement l'espace. De Milan à Dublin règne la mégalopole Europe.

Les bateaux, quant à eux, transitent de ce monde-ci, terrestre ou terrien, à l'autre monde marin. Ariane, elle, passe d'un monde autre à un autre monde : passage plus difficile encore ; installée, dès le départ, dans l'instable et le chaos, l'espace incontrôlable de l'orage, du tonnerre et des éclairs, elle déchaîne les éléments les plus volatils, le feu et l'air, dans les basses régions de l'atmosphère, pour rejoindre l'ordre des hauteurs qui échappent depuis toujours à nos emprises et entreprises.

Kourou, 1er avril 1989, 23 h 29 ; je me retourne vers les rares spectateurs, clients invités au lancement : des larmes s'allument dans les yeux de tous, pendant que, par pudeur, je cache les miennes. Ingénieurs, savants, experts se donnent, que je sache, pour hommes raisonnables et froids que les calculs et les projets répétés ont depuis longtemps blasés. Cependant, ils pleurent. J'ai cru tout à coup les voir sortir, tout nus, de la forêt pour s'éblouir ou pour s'effrayer de ce cyclone et de la comète, comme des sauvages qui savent bien, eux, que nous ne pouvons rien aux étoiles ni aux ouragans.

Or, sous nos yeux et autour de nos oreilles, l'éclair d'un orage vient de se transformer en planète, par l'intermédiaire de la foudre et du tonnerre. Nous voici redevenus soudain ceux que nous n'avions jamais cessé d'être : des primitifs. Par l'énergie de son élan, la performance hautement sophistiquée redécouvre en nous l'archaïsme.

Nous restons enfoncés dans notre passé lointain, sans le voir, jusqu'aux cuisses, aux épaules, jusqu'aux yeux. Nous assistions, affolés, à une cérémonie antique dont les fastes célébraient les constellations calmes et les forces naturelles qui éclatent et foudroient ; nous étions appareillés pour une ère oubliée de notre préhistoire, dans l'autre sens de l'espace et du temps. Action vers le haut et l'avenir égale réaction en amont, ébranlement dans les fondations.

L'exploit nous livre à la plus longue et noire des remembrances : oui, nous sommes archaïques dans les trois quarts de nos actes et pensées. Lancés vers les lieux les plus éloignés, nous voici jetés à la primitivité, comme si l'appareillage, en déliant ici, avait soudain relié là. Le processus de l'hominisation prend, en nous, comme un cristal change de phase et se solidifie : devenir homme, cela consiste-t-il à délier sans cesse pour lier ailleurs et autrement ? N'appareillons-nous que pour changer de corde ?

La forêt toute proche, autre monde, et notre origine sauvage sans doute, nous touche, nous entoure, nous imprègne et ne nous laisse pas. Nous ne cessons peut-être pas de rentrer dans ce tiers-monde encore premier pour en sortir ou de nous en délivrer afin d'y revenir. Les plus avancés d'entre les hommes plongent leur racines dans les traditions les plus hautes et sombres.

Chabournéou en Valgaudemar

Trois heures du matin. Dans le silence, tout le monde se lève, plie son sac, déjeune en hâte et part. Attentif, courtois, diligent, le gardien du refuge distribue les gourdes pleines de thé léger, surveille les cordées qui se forment et compte machinalement les destinations. Dehors, l'ombre se pique de petites lucioles dansantes, les lampes frontales, qui précèdent et remplacent l'aube : ivre de nuit, chacun se réfugie dans sa lueur personnelle et son décimètre de chemin. Tous des solitaires.

Avant la veillée au refuge, nul n'a quitté ce monde ; dès les petites heures, chacun pénètre dans l'autre. Ce petit bâti, au voisinage du glacier, sert de guichet, de porte, de sas, d'accès, de passage, qu'une sorte de saint Pierre garde. Glace, neige et rocs composent l'autre monde, presque abstrait. Il n'a rien de commun avec l'usuel. L'horizontal y devient vertical, nos vieilles stabilités y bougent, changent tous les gestes et toutes les conduites, se transforme le langage que nul ne comprendra s'il n'est pas passé par là. On peut y marcher seize heures pour l'extraordinaire récompense de s'offrir soi-même au vent et au ciel, sur un sommet parmi les sommets qui font autant de bras levés, passerelles de veille ou arbres debout. Au retour de la course, facile ou engagée, chacun cache dans les yeux cet air insolite et hagard, une lumière dont la rougeur signe l'inquiétante étrangeté des lieux.

Depuis que nos premiers parents furent exclus du jardin paradisiaque, nous devons tous porter une marque de ce genre que nous n'apercevons plus.

Pas à pas nous accompagnent l'archaïque et le primitif. Ai-je déjà dit sans m'en apercevoir que les glaciers se cassent en crevasses quand leur lit devient convexe et qu'il penche vers le bas? Tout le monde sait cela. Blanches, blafardes et vertes, béent les lèvres visibles de ces bouches ou rimayes, pontées par la neige çà et là.

Quand ce même lit, parfois, se relève, concave, l'épaisseur du glacier casse, mais dans l'autre sens, de sorte que la crevasse adopte une forme de v renversé. Vous franchissez une ligne peu visible, serrée, solide et verrouillée sous haute pression, mais dont l'étroitesse dissimule un volume gigantesque qui va s'accroissant avec la profondeur et qui pourrait, dans quelques cas, contenir plusieurs cathédrales.

Haute et blanche, la montagne cache des espaces bas et noirs, géants. Le son s'y évanouit, dit-on, les appels s'y perdent, s'y obscurcit la lumière, aucune lampe ne peut les éclairer : nul n'en est jamais revenu. Non vu, non dit, certain passé, de sa dimension basse, colle aux chausses du voyage vers la haute dimension.

La haute mer et la haute montagne ont ceci en commun avec la hauteur du ciel qu'on appareille vers elles : pour y accéder, il faut passer par le port, le refuge ou la rampe. Ces cheminées verticales conduisent en haut, par un labyrinthe extravagant, où, comme à l'époque du meurtrier Minotaure, le guide se nomme Ariane, encore. Dans tous ces voyages, souvent interminables, tous les passages ressemblent aux dédales de glace vers les Territoires du Nord-Ouest.

Mais si, ailleurs, tout départ suppose que des fils ou des liens se rompent ou que des aussières se dénouent, celui du petit matin, aux refuges en haute altitude, exige, au contraire, la formation de cordées. Peu s'aventurent là-haut, en solitaires. Entre les baudriers qui renforcent le bassin s'établit une communication matérielle constante quoique souple qui assure la progression. Le sujet qui marche, escalade, cramponne, passe ou ne passe pas, ce n'est pas lui ni vous ni moi, c'est la cordée, c'est-à-dire la corde. Anachorète émigré aux réduits les plus retirés des hautes vallées silencieuses, vous venez, à votre corps défendant sans doute, d'appareiller pour du collectif. Le sujet qui s'éblouira des lumières mauves de l'aurore au milieu de couloirs escarpés sera l'amour que votre guide et votre amie vous prouvent en tous leurs gestes ou pas et celui que réciproquement vous leur portez : autrement dit encore la corde. Il faut l'appeler cordiale, pomme de concorde.

Le terme contrat signifie originellement le trait qui serre et tire : un jeu de cordes assure, sans langage, ce système souple de contraintes et de libertés par lequel chaque élément lié reçoit de l'information sur chacun et sur le système, ainsi que de la sécurité de tous.

Ainsi le contrat social lui-même, sous la forme de la corde, se déplace ou escalade les couloirs escarpés, de l'aube à midi : on croirait voir passer un collectif quelconque, lié par les obligations de ses lois propres et par le monde.

Revoyez le vaisseau qui appareille : il ne largue, par les aussières, qu'une infime partie du lacis, du réseau, du complexe entrelacs des liens qui le tiennent et qui n'ont de nom que dans la langue des marins. Délié ? Non pas : lié serré. Ne quittons-nous quelque contrat que pour en contracter d'autres ? Qu'était-ce qu'un vaisseau à voiles sinon un gigantesque nœud exquisément compliqué ? Le groupe qui s'élance à l'assaut de la paroi, nous l'appelons la cordée : voilà deux contrats en partance vers l'histoire.

On croyait jadis que le mot « société » dérivait du verbe suivre, imitait donc le dessin d'une séquence. Ermite ou libertaire, vouliez-vous quitter tout collectif? Vous revenez, dès le réveil, vers son pur modèle processionnel apparu dans son simple appareil : sexe, trait d'union, cordon sortant de l'ombilic.

Pour se protéger, seuls et fermés, du danger, comme certains crustacés, les guerriers du Moyen Age et de l'Antiquité s'enveloppaient de cuirasses écrasantes ; comme la guerre, la nature préféra plus tard la stratégie souple de la chair molle dehors et du squelette dur dedans ; une solution troisième, autrement plus évoluée, consiste à mettre ses défenses et son assurance en dehors même du corps : dans les relations. Ce qui sort ou pend ou perd de moi me sauve ; j'appareille vers la corde. Quoique nous n'en ayons aucune preuve, ce lien dut constituer la première invention de la technique humaine : contemporaine du premier contrat.

Or, dans un milieu mol, et tant que reste à plat le décor, nul ne ressent la nécessité des liens et chacun, à l'aise, déambule seul ; mais voici qu'il se relève et devient dur ; alors, le collectif s'encorde et se réfugie dans le contrat social.

Que la montagne, en troisième lieu, se fasse difficile voire abominable, et le contrat lui-même change de fonction : ne lie plus seulement les marcheurs entre eux, mais, de plus, prend des attaches en des points précis et résistants de la paroi ; le groupe se trouve lié, référé, non seulement à soi-même, mais au monde objectif. Le piton sollicite la résistance de la muraille à qui nul ne confie de lien qu'après l'avoir testée. Au contrat social s'ajoute un contrat naturel.

Ensemble de rapports des groupes au monde, rendus nécessaires quand celui-ci devient dangereux, passé l'appareillage, quels rapports les appareils, à leur tour, entretiennent-ils avec le droit?

Ai-je raconté ce que le guide racontait pendant une de nos haltes rares? Qu'agrippés sur une face nord, aux trois quarts d'un couloir vertical de glace vive, ils progressaient, un matin, à deux, en alternant régulièrement les longueurs de corde, quand, à un moment où son pair l'avait rejoint, ils entendirent le chuintement révélateur des couches d'air refoulées par les pierres qui tombent ; les montagnards expérimentés jouissent d'une ouïe suffisamment aiguë pour pressentir la venue du Saint-Esprit soi-même.

Côte à côte, dans l'axe vertical de la paroi, accrochés des deux mains à leurs deux piolets, crampons plantés d'équerre dans le mur dur, fuyant, d'instinct, sur le côté, puisque les chutes suivent le plus souvent la pente principale du centre, où, justement, ils se trouvent arrêtés, l'un tire à droite mais l'autre à gauche. Se tend la corde selon leur force. Le couple a dit avoir senti ce jour-là vibrer de la haine sur ce boyau tremblant de violon. En se garant, chacun hale l'autre comme pour l'exposer. Mais non : un bloc gros comme un bateau déboule entre eux, foudroyant, et arrache d'un coup pitons, mousquetons, cordes et broches, tout leur appareillage si patiemment tissé. Passé l'orage, restent seules et saines, collées au mur, les deux mouches. La puissance exaltée de leur apparente haine les avait tous deux sauvés, en les faisant diverger.

La séparation, parfois, est une solution bonne de l'amour.

Mais à la défense principale, savoir la communication, s'attaque toujours l'adversité. La roche détache la cordée, les orages arrachent l'entrelacs des liens et nœuds, ce réseau qu'est le bateau, les techniques exquises que la langue appelle justement des appareils, pour le laisser désemparé.

Les crises déchirent les contrats.

Corde et lien

Technique raffinée de nos relations, le droit, parfois, se laisse surprendre et lire en certains énoncés visiblement référés à une origine concrète et technique. Les termes contrat, obligation ou alliance, par exemple, nous parlent de liens : là, nos liaisons redeviennent des fils.

Une corde, qui, nouée, sert à serrer, me paraît le premier outil, indifféremment lancé vers les hommes, les animaux ou les choses. Comment, sans elle, lier la pierre au manche ou la bête à son pieu, les poignets des prisonniers, tisser un pagne ou prendre la mer ? Enlacer son amoureuse ? Elle sert à tirer. Tirer, serrer, cela, en tout, fait un bras, qui peut joindre, et une main, qui sait prendre. Le lien reste efficace, en l'absence de l'organe, et fonctionne tout seul.

Par sa souplesse, qui laisse à celui qu'elle lie des degrés de liberté, la corde, pourtant, l'emporte en latitude, sur le bras ou le bâton, qui ne réalisent que des relations rigides. Comme la chèvre peut paître la couronne autour du pieu, dans la circonférence décrite par sa longe ou son licou, de même, dans un proche voisinage, mains libres et coudées franches, vient et va celui-là que l'extrême des tensions seulement bloquera.

Le droit marque des limites. Le lien rend ces bords sensibles, mais seulement quand il devient droit ; auparavant, il définit un espace, plan ou volume, libre et sans lien. Ou une aire de non-droit à l'intérieur du droit.

Ainsi la variation qui précède la frontière importe tout autant que le bord. Que la corde bande, raidie, et elle imite le solide ; au repos, douce, lovée, pliée, dormante, tournée en bitures, elle s'invagine, absente. Etrange métamorphose, changement naturel et savant ! On imagine quelque liquide variable dont la densité irait d'une volatilité subtile à une épaisse et invincible viscosité : volez, nagez à votre aise, mais soudain la glace prend et vous voici saisi. Ligoté ou obligé. La corde forme, de plus, les éléments du vêtement : votre bien-être habite un large manteau, qui, tout à coup, vous sangle. Les limites inversent les propriétés qu'elles ferment et protègent : mobilité dedans et fixité aux frontières, absence à l'intérieur, aux bords soudaine présence ; le fluide au vent se ride, flotte l'habit, une corde fait des plis, des boucles et des ganses, mais la cristallisation emprisonne, comme une camisole de force, et, rigides, se serrent les liens. Le droit entoure et organise des espaces de non-droit. Dans les plis, j'observe le non-droit.

La description technique des liens et de leurs nœuds nous permet de tenir ensemble l'espace continu et sa limite catastrophique, la topologie du souple et la géométrie de la corde raide, qui seule peut mesurer ou partager, distribuer ou attribuer, la variation et l'invariance, donc ensemble les contraintes et la liberté. On croit voir naître en même temps les sciences, les techniques et le droit.

J'aime en outre à dire que le lien comprend, puisqu'il joint et serre ou prend plusieurs choses, bêtes ou hommes ensemble. Voici sans doute le premier quasi-objet propre à rendre apparentes et concrètes nos relations : les chaînes réelles de l'obligation, légères ici, nous pèsent là.

Un contrat veut-il dire que nous tirons ensemble, serrés, assujettis au même trait, comme deux bœufs, liés, tractaient la charrue ? Cette corde nous attache à d'autres hommes et à la chose entraînée. Le plus petit mouvement dans la liberté de l'un ou de l'autre peut réagir, sans attendre, aux limites des contraintes du troisième dont la réaction agit sur les premiers, sans obstacle. Voilà un système de relations, un ensemble d'échanges. Du coup, et en temps réel, chaque élément de ce groupe, lié, se trouve, mécaniquement, par force et mouvement, comprendre le site des autres, parce qu'il ne cesse d'en être informé.

Un contrat ne présuppose donc pas forcément le langage : il suffit d'un jeu de cordes. Elles comprennent elles-mêmes sans mots. Etymologiquement et dans la nature des choses, un contrat comprend. Nous sommes pris ensemble et nous nous prenons les uns les autres, entrecordés, même muets ; mieux encore, le contrat mélange nos contraintes et nos libertés. L'information que chacun de nous reçoit par son extrémité de corde le renseigne, enfin, non seulement sur tout autre encordé mais, en somme, sur l'état de tout le système dont il fait partie. Le lien court de lieu en lieu mais de plus exprime en tous points la totalité des sites ; il va, certes, du local au local, mais surtout du local au global et du global au local. Le contrat nous concerne donc comme individu en nous faisant immédiatement participer à toute notre communauté. Il mélange en collectif les solitaires.

Cette corde a trois fonctions: celle des harpédonaptes délimite le champ et l'entoure de sa souplesse ; peut-on s'en passer pour définir? A cet objet, elle attache le sujet, comme à sa connaissance ou à sa propriété ; elle informe les autres, par contrat, de la situation produite par la clôture ; peut-on s'en passer dans les manières collectives? Usages formel, énergétique et informatif, ou, si l'on veut, conceptuel, matériel et juridique ; géométrique, physique et de droit. Lien de connaissance, de puissance et de complexité. En somme, sa tresse triple me lie aux formes, aux choses, aux autres, m'initie donc à l'abstraction, au monde, à la société. Par son canal passent l'information, les forces et les lois. On trouve dans une corde tous les attributs, objectifs et collectifs, d'Hermès.

Souple, elle épouse la topologie avant que, raidie, elle ne décrive des variétés géométriques ; au moyen de sollicitations temporaires et menues, elle informe, par petites énergies, alors que, tendue constamment, elle transmet force et puissance, les énergies hautes ; à ses limites de contrainte elle emprisonne, mais laisse les coudées franches avant ce maximum. Voilà les sciences de l'espace et la genèse de leurs objets, plus les techniques de la force, en totalité ; qui s'étonne que la corde lie encore le savoir rigoureux et le droit?

Le mot trait, enfin, signifie à la fois le lien matériel et la barre élémentaire d'écriture: point, trace longue, alphabet binaire. Ecrit, le contrat oblige et attache ceux qui écrivent leur nom, ou une croix, au-dessous de ses clauses. En l'absence de liens concrets, fils de chanvre ou chaînes de ferraille, et de nœuds serrés, le traité reste efficace et fonctionne tout seul, par la constance d'une parole donnée ou le pacte solennel devant notaire. Nous sommes pris par le contrat, qui nous comprend : nous habitons son réseau, vicinal et global, tenus par son système et par les partenaires qui l'ont contresigné. Il arrive qu'on se débarrasse plus facilement d'un harnais que d'un trait de plume.

Or le premier grand système scientifique, celui de Newton, se relie par l'attraction : voilà revenus le même mot, le même trait, la même notion. Les grands corps planétaires se comprennent et sont liés par une loi, certes, mais qui ressemble à s'y méprendre à un contrat, dans le sens premier d'un jeu de cordes. Le plus petit mouvement d'une planète ou de l'autre réagit sans attendre sur toutes les autres dont les réactions agissent sur les premières sans aucun obstacle. Par cet ensemble de contraintes, la Terre comprend, de quelque façon, le point de vue des autres corps puisque, par force, elle retentit aux événements de tout le système. Voilà donc un contrat d'association universelle. Newton lui-même n'aurait pas désavoué cette approche, qui reprend celle de Lucrèce : les lois naturelles fédèrent les choses comme lient les hommes les règles sociales.

Quand notre outillage, local, nous réduisait à ne travailler que notre petit carré de luzerne, nous n'étions pas constamment informés des changements globaux de la Terre ; il nous suffisait d'un petit harnais, par lequel, en compagnie de quelques voisins, nous tractions à grand-peine une araire étroite. La seule information intéressante concernait le lopin. En ces temps-là, passé le champ et le village, n'existaient pour nous que du désert et des populations vagues. Notre contrat social comprenait peu d'objets tirés par un nombre médiocre d'associés. Il y avait toujours plus de bouches que de pain, donc plus de mots que de choses, plus de politique ou de sociologie que d'objets à consommer, il n'y avait pas de nature, au sens global de ce mot : le contrat social dit moderne l'ignore ; pour lui le collectif habite son histoire qui n'habite nulle part.

Je me souviens, pour y avoir vu le jour et assimilé une culture, de cet ancien monde sans monde, où nous n'étions que localement liés, sans responsabilité aucune au-delà de nos étroites frontières. D'où les guerres étrangères et mondiales dont les libres ravages et les atrocités ont fait de nous une génération de citoyens du monde.

La puissance globale de nos nouveaux outils nous donne aujourd'hui la Terre comme partenaire, que nous informons sans cesse par nos mouvements et nos énergies, et qui nous informe, par énergies et mouvements, de son changement global, en retour. Nous n'avons point besoin de langage, à nouveau, pour que ce contrat fonctionne, comme un jeu de forces. Nos techniques font un système de cordes ou de traits, d'échanges de puissance et d'information, qui va du local au global et la Terre nous répond, du global au local. Je décris tout simplement ces cordes pour pouvoir parler, à plusieurs voix, de sciences, de technologie et de droit.

Jadis transporteur angélique de messages personnels, le dieu Hermès traversait des milieux amorphes pour courir de singularités en singularités ; alors l'annonce – *l'Angélus* – faisait événement. Désormais, il nomme la totalité des liens de toute sorte attachant le tout de l'humanité au globe du monde et réciproquement. Les fonctions de communication s'intègrent et, en s'intégrant, courent vers une manière de métastabilité. L'effacement progressif des événements locaux constitue le plus grand événement contemporain global.

Liés ensemble par les lignes les plus puissantes que nous ayons jamais su tisser, nous comprenons le Terre et elle nous comprend, non pas seulement pour les spéculations de la philosophie, ce qui ne tirait point trop à conséquence, mais dans un jeu d'énergies énorme qui peut devenir mortel pour ceux qui habitent ce contrat.

Nous vivons contractuellement avec la Terre, depuis récemment. Comme si nous devenions son soleil ou son satellite, comme si elle devenait notre satellite ou notre soleil. Nous nous tirons, nous nous serrons l'un l'autre. Au bras de fer, à la corde ombilicale, au lien sexuel ? Tout cela et plus encore. Les cordes qui nous attachent ensemble forment un troisième monde, en somme : nourricières, matérielles, scientifiques et techniques, informationnelles, esthétiques, religieuses. Equipotents à elle, nous sommes devenus la biplanète de la Terre qui devient également notre biplanète, liés tous deux par toute une planète de relations. Nouvelle révolution, au sens copernicien, pour notre grandeur et nos responsabilités. Le contrat naturel ressemble à un contrat de mariage, pour le pire et le meilleur.

Par analyse, il faut entendre l'ensemble des actes et des pensées qui délient. Partout où il passe ou serre, tout lien transmet force ou information, quelque retentissement. La science moderne découpa ces liens, pour instaurer la précision et l'exactitude, et, par ces partages, refusa le retentissement universel ; son idéal inversa la fonction du contrat. Or les problèmes globaux posés par les sciences et les nécessités contemporaines inversent à nouveau cet idéal de découpage de sorte qu'ils renouent des liens que l'analyse dénoua. Nous revenons au contrat.

Jusqu'à ce matin même nous échappait la nature : ou nous la limitions à l'expérience courte du petit carré de luzerne ; ou nous en faisions un concept abstrait, appliqué à l'homme, parfois ; et si nous l'étudiions, dans les sciences, nous la découpions en lopins encore plus petits ; l'une des crises de notre savoir vient de ce qu'il ne saurait fonctionner sans ces découpages et qu'il doit résoudre les problèmes posés par leur intégration. La voici donc, aujourd'hui, nouvelle et fraîche, à l'état naissant : globale, entière et historiée sous les yeux de l'humanité entière et globale ; théorique, bientôt, quand les disciplines séparées voudront bien se fédérer ; tout de suite concrète et technique, puisque nos moyens d'intervention agissent sur elle qui, en retour, agit sur nous ; réseau de liens multiples où toutes choses, congruentes, conspirent et consentent, entrelacs qui s'attache, par un treillis de relations, au tissu social et humain désormais solidaire.

La somme de ces cordes, mailles et nœuds, assemblés en treillages divers, partout connexes, définit la nature de manière simple, claire et distincte, spéculative et technique, et de façon telle que parfois peut-être le passé la rêva mais assurément ne la conçut jamais ni ne dut la pratiquer. Elle est un ensemble de contrats.

Curieusement, ce siècle-ci seulement, la nature vient de naître, et réellement, sous nos yeux, en même temps que l'humanité réellement solidaire, je veux dire autrement que dans les discours officiels. Le grand Pan, démon de la globalité, se profile enfin derrière son père, Hermès, dieu des liens. D'abord par son ombre.

Premier ou dernier appareillage?

Allez la chercher où elle rôde, libre et nue, active et répandue en tous points, attentive, jamais repue, et vous découvrirez l'autre monde, que son assiduité constante organise et définit. Vous vous permettez, ici-bas, mille gestes paisibles: dormir, rêver, parler indéfiniment, relâcher l'attention; tout danger s'écarte des pas si naturellement qu'on n'y pense pas; maisons et jardins, haies, champs labourés, boutiques, écoles: tout dort ou ronronne; elle y frappe rarement, comme advenue d'ailleurs: tout le monde s'en étonne. Là-haut, comme une présence dense, en tout détail et lieu, elle règne.

Après le port: le naufrage pour la plus petite erreur; passé le refuge: à la plus légère faute, vous dévisserez; appareillée de la rampe: à la première inattention explosera la fusée, tuant les sept membres de son équipage; pour un minime égarement, voici l'accident. Menues causes, grands effets. Dans la chambre à coucher, tout excuse, le lit et l'oreiller, le fauteuil et le tapis, souples et mols. Mille causes d'effets nuls.

Murs, villes et ports, asiles d'où s'écarte la mort.

Au-delà, elle court l'espace, rôde. Jamais repue, elle niche dans des cavernes basses et noires et, de tout lieu, elle guette et bâille. A partir de l'appareillage, tout ce que vous faites désormais pourra être retenu contre vous. Résonne la parole du juge d'instruction. Haut lieu: haute cour. Voici ouvert l'espace de la cause, sans excuse aucune ni pardon. Tout geste compte, chaque mot et même l'intention, jusqu'au plus mince détail. Comme le dit judiciaire, l'acte de performance ici accompli est immédiatement performatif; la réalité lui colle aux chausses: sitôt esquissé, tout aussitôt sanctionné. A la chute vous n'avez plus droit. Vous commencez à vivre selon un autre style. Ni lit, ni mur, ni haie ne vous garent de la mort.

Comment définir notre monde usuel ? Cela ne compte pas : voilà toute sa règle ou, mieux, les lacunes de ses lois, ganses et boucles des cordes. Mille choses sans importance n'y sont obligées ni sanctionnées. Vous ne devez pas payer pour tout détail de la vie commune. Vous laissent faire, dire ou passer cent espaces hors-la-loi. Dans l'usage, le non-droit l'emporte sur le droit. De cette franchise des coudées vient l'aise de nos corps. Qui se plaindrait de ces degrés de liberté, de ces gratuités qui composent la vie même ? Ici se relâchent les cordes des contrats, elles se tendent là-bas.

Nul autre monde n'excuse : la mort veille et sanctionne toute sorte de faute. D'où l'exigence de contrôle constant qui enseigne de force la virtuosité. De la paroi de glace verticale sort le guide, sans erreur : cela veut dire qu'il n'en meurt pas ; qu'il évolua dans un espace causal où tout compte ; et qu'il y exerça la vertu, qu'il faut définir comme ce qui permet la virtuosité. Premier de cordée, donc délié : seule la liaison, ou le contrat, donne la sécurité, en même temps que l'obligation ; l'assurance ne vient plus que de la compétence, pour qui se trouve solitaire et sans lien, sauf avec la chose même. Avec la paroi du monde.

Le trait transcendant sur le violon ou le piano, le maître l'exécute distinctement, alors qu'un autre y accrocherait. De jouer faux, certes, nul n'est jamais mort ; cependant la carrière entière de tout virtuose se décide à chaque instant sur ces passages-là. Il ne joue pas d'un instrument, mais y joue toujours toute son existence. Un accroc sur la corde tendue, la partita sonne faux ; ailleurs, en science, par exemple, pour une simple faute de carre, manque la mesure et la vérité s'évapore ; la plus petite voyelle se déplace et voilà que s'enlaidit la page, consternante. La démonstration, la mer, le grand art et la glace ne souffrent pas de faux pas. La beauté ne jouit jamais du droit à l'erreur. Au premier péché, l'enfer ouvre sa gueule.

Sanction et sanctification, mêmement formées sur le sacré, produit par la mort, remontent à la même origine : les autres mondes se révèlent indifféremment comme des espaces sanctionnés, lieux de droit et de causalité, lieux saints ; voici la maison des solitaires, ermites ou anachorètes, immergés dans le monde mondial.

Haute mathématique, beaux-arts, haute virtuosité, haute compétition, haute mystique répondent en tous points à la haute montagne ou à la haute mer, mondes où les cordes restent raides.

Abstraits ou concrets, les plus concrets, mer et montagne, paraissant abstraits à certains, et les plus abstraits, algèbre ou solfège, paraissant concrets à d'autres, ces mondes environnent celui-ci, comme autrefois, avant Christophe Colomb, modèle des virtuoses, les continents inconnus bordaient les lieux que l'on croyait les seuls habités. Des étrangetés entourent notre espace. L'appareillage y conduit.

Notre quiétude chasse la mort dans ces mondes voisins et lointains, dans ces tiers-mondes, que tous disent dangereux et qui demandent seulement de la présence parce qu'il y faut répondre, à chaque point et en temps réel, à l'active attention de la mort, aussi attentifs et présents qu'elle, pour lui répliquer du tac au tac. Si elle n'attaque pas positivement — l'agression ne doit pas être de son caractère —, passive comme un trou noir, elle prend tout ce qui se néglige et sanctionne sans faute : cela rend très souple, très intelligent, cela réveille. Diligence contre négligence.

Dans ce monde-ci, tout dort. Par les autres mondes, tous les solitaires veillent. Où peut-on respirer air plus vif ? Les endormis s'associent dans le monde commun. Ailleurs s'égaillent les éveillés.

Ainsi, quand je pense, je ne pense vraiment que dans et par l'un de ces autres mondes, où n'habitent et ne passent, où n'existent que des vigilances. La vérité, la pensée, le sens, l'éveil même se gagnent sur la mort, car rien mieux qu'elle n'envahit plus complètement un espace et n'y oblige, pied à pied, à la virtuosité. Instigatrice instinctive, institutrice, elle seule, comme la faim, nous enseigne ce qu'il faut savoir. Le reste ne mérite pas même le nom de savoir. Le verbe éduquer signifie justement conduire ailleurs, à l'extérieur, en dehors de ce monde : en fait, appareiller.

Ici, je m'assoupis, dans ce monde je repose. Ci-gît.

Alors tous mes récits et l'univers entier se retournent : l'assurance endort, la vie usuelle s'adonne à la mort, celle où l'ordinaire stupidité, répétitive et bornée, sommeille, droguée, liée, alors que les autres mondes se peuplent de vivaces et de vifs. Tendus. Il n'en meurt pas plus que de dormeurs, en somme. La mort vivifie la vie, qui meurt de manquer d'elle. Partir — vers la nature — pour naître.

Ensemencée partout, derrière chaque roc, sous le pli que fait la vague, prête à vous mordre les fesses, elle pousse à l'action continûment excellente : dressage plus que parfait ; jamais sortie de son école implacable, l'existence vaillante s'adonne à l'œuvre. Voilà le secret de toute production, voilà pourquoi la culture ne trouve refuge que dans les tiers-mondes. La vie bonne s'intéresse à la mort seule, qui, en échange, la sculpte.

Passé les autres mondes qui excitent celui-ci, vers elle, notre origine, à nouveau nous appareillerons. Pour renaître.

Palo Alto, après le 17 octobre 1989 à 17 h 04

Depuis douze à quinze nuits, chacun, ici, dans le secret de sa chambre, prépare à côté du lit, au moment de se coucher, un chandail et une lampe, une paire de souliers, l'équipement de détresse, en cas de séisme fort. Les savants et les experts conseillent de se préparer.

Et donc, tous les soirs, j'aménage et je regarde le petit tas misérable de hardes, par terre, strict nécessaire qu'on peut prendre à la main en une seconde, en vue du départ, et je mime cette scène dans ma tête : se lever en hâte, conserver son calme, chausser les souliers, allumer vite la lampe…

… mais pourquoi, pour aller où, et surtout quand, à quelle heure, pour un choc de quelle intensité ? La Terre ne cesse de trembler, certes, ici, depuis plus de deux semaines, mais, que je sache, tout menace en tout temps et tout lieu. Faut-il toujours s'attacher à un viatique de détresse ?

Quelle science forte et simple me dictera le moment du dénouement, du dénuement, du vrai appareillage, et de ne rien prendre, pour aller tout nu, bouleversé, brûlant, tremblant de tous mes membres, de cette Terre vers le néant ou quel formidable dieu d'amour ?

Anne mère de Marie

Dure et généreuse, raide, revêche, toute serviable, forte en muscles et en gueule à la manière paysanne, pauvre, jamais mariée, l'aînée n'avait jamais quitté la ville ni la maison de ses parents qu'elle régentait sans souplesse ni faille depuis que la mère, dont l'empire avait duré un demi-siècle, lâchait pied. On ne lui connaissait pas de liaison ni de défaut, ni grand talent, pas de sentiment. Jusqu'à plus de soixante ans, unie et inflexible s'écoula sa vie, sans qu'on ait vu ses yeux s'embuer. Certaine éducation religieuse et morale supprime la personne, pour le pire et le meilleur.

Non loin des fêtes de la Noël, cette année-là, sa mère, dont la tête avait regagné depuis longtemps les joies et naïvetés du paradis, s'alita pour entreprendre de mourir. De ces natures puissantes qui ne font jamais la sieste et dont le premier repos coïncide avec le dernier, elle passa un temps interminable à s'éteindre. Le hasard voulut que, de ses huit enfants, les cinq filles l'entourassent pieusement dans les moments banals et solennels où la vie hésite à s'élever dans l'air et à laisser la dépouille étendue et morose.

Subit-elle une commotion brusque ? Toute cassée de ce coup, l'aînée se leva, prit sa mère dans les bras et se mit à marcher dans la chambre, prudemment, à pas rythmés, en chantant une rengaine d'enfance, dont la mélopée couvrait l'hymne chantée par les sœurs, à genoux, en prière, et le râle de l'agonisante.

Elle berçait ainsi le corps lamentable de sa mère sur son ventre et dans la barque des coudes, quand les assistantes virent son visage, tout près de la bouche qui rendait son âme, se transfigurer : doux, très douloureux, rayonnant de bonté, tranquille, sublime... elle accouchait, elle rendait à sa mère l'accès à une autre vie, par naissance ou par résurrection, et elle l'accompagnait patiemment dans ce suprême effort comme la femme qui souffle et pousse dans le travail de délivrance, mais cherche à réduire la violence et le forçage pour épargner le corps de son petit enfant.

Alors mourut l'aïeule à la tête folle dans le giron de la fille stérile, par maternité surnaturelle, pendant que se mêlaient le râle, la berceuse et le cantique des quatre autres filles, mères naturelles, dont les voix blanches suivaient ces deux passages mystérieux, mystiquement confondus.

Sans paroles, au milieu des linges, serviettes éparses et draps pendants, mouchoirs dépliés, mouillés, tissus souillés, tout cela se déroula au ras de la vie et de la mort, en se laissant conduire par le corps, biologiquement, sauvagement, archaïquement, par reprise sans doute de ce que d'inimaginables ancêtres avaient toujours dû faire sans savoir pourquoi, ou simplement parce que ayant deux pieds, deux poings, un sexe et une tête, ils se laissaient couler dans la lignée hominienne par le canal principal de la féminité.

Rentre ou sort la mère par le ventre de sa fille vierge : Anne Marie.

Dans une forêt chinoise retirée, six à huit bûcherons s'apprêtent à soulever un billot monstrueux, de ces arbres à bois dense comme de l'acier trempé, un tronc couché, dépouillé, dont le diamètre dépasse de beaucoup leur taille. Jamais ils ne porteront cette masse gigantesque. S'approchent d'elle doucement, comme pour l'apprivoiser, la touchent en de certains lieux qu'ils ont l'air de reconnaître, l'examinent en silence, très lentement, la lient au moyen de simples cordes et couvrent leurs épaules de vieux sacs pliés plus larges que leurs vagues pagnes en haillons.

Ils sont à peu près nus, je m'en souviens maintenant, et leurs cheveux grisonnent et leur barbe pointue blanchit. Gestes cérémonieux délicatement proches du bois et manières harmonieuses infiniment voisines les unes des autres. Les voilà courbés, les lignes semblent se tendre, le billot ne bouge pas.

Comme en nappe alors, venue on ne sait d'où, de la futaie peut-être, des taillis, du feuillage alentour, une cantilène baigne toute la scène, à peine sonore, rauque, basse, douce, émanée, encore immergée dans les entrailles : se peut-il qu'un bruit participe moins de l'audible que de l'intime des corps vivants qui se trouvent là ? qu'un son reste encore plongé dans la masse ? Les dos prosternés chantaient, priaient, râlaient, semblaient se lover dans une berceuse d'enfance, appelaient le madrier qui leur répondait en quelque mystique grégorien. Le tronc reprenait racine dans leurs cuisses ou sortait de leur bassin.

Je vous dis ce que j'ai vu et entendu : la matière se leva. Oui, transportée par les sept forestiers trapus dans le berceau des lianes tremblantes comme des cordes dans les notes profondes du piano. Mais non. La matière lévita. Enlevé par la brise de la musique, le madrier mit à la voile, il appareilla.

Je raconte là un témoignage très ancien : je crois bien que dans nos langues ancestrales, les termes madrier ou matière signifiaient à la fois le bois et la mère.

Mais le verbe toujours vient : au moment même où l'aïeule expirait, accouchée par sa fille vierge, emportée par le vent insensé des cantiques, la porte que l'on n'avait pas songé à garder s'ouvrit violemment, poussée par quelque tempête impétueuse, et l'aînée des arrière-petite filles, sept ans, rousse, rude, vivace, entra, pleine de feu, muscles et gueule en avant, tenant à la main une feuille toute gribouillée : « Tenez, cria-t-elle, la lettre que je viens d'écrire à la place de grand-mère qui ne pouvait plus. Il faut la mettre dans le cercueil pour que le Bon Dieu, à l'arrivée, la lise. »

Mots et chair, appareilla le cadavre muni du programme.

Suite outre-tombe

Psychopompe : voilà l'un des noms sous lesquels l'Antiquité vénérait Hermès ; par ce titre, elle voulait dire qu'il accompagnait les âmes mortes aux enfers. Il veillait en silence à nos agonies, le guide des messagers, des liens et des cordes, l'ange volant dans l'air transparent, délié comme une fusée, puis nous conduisait vers l'autre monde. Son nom, ses actes, son mythe résument tous ces récits.

On l'honorait, de plus, comme innovateur : il avait inventé des objets, la lyre et la flûte de Pan, du nom de son fils, mais aussi les lettres et les signes de l'écriture ; et peut-être encore les bornes des routes, pierres hautes qui, dans la Grèce ancienne, portaient son nom, mais aussi un visage et un sexe, organes de communication qui symbolisent les voies.

Constructeur de relations, d'objets, conducteur après la mort, dieu des messages et des passages productifs, on devinait sa présence silencieuse et translucide aux deux crépuscules de l'aurore et de la nuit. En somme, Hermès aurait pu passer pour l'archange des appareillages.

La pomme des amants, témoin qui s'échangea entre nos premiers parents, tisse des liens, solides ou fragiles, que tranche souvent l'adversité ; des liaisons font construire le navire et la navette-fruit trace des correspondances, en fils d'araignée ; des techniques de communications fabriquent Ariane qui les multiplie et magnifie en satellites de télécommunications. En général, la relation, parfois de droit, construit l'objet, toujours de fait, qui permet des relations, qui, à leur tour, produisent d'autres objets : nous habitons cette courbe spiralée, continue, cassée ou turbulente.

Que le dieu des messages et des interprètes devienne un habile artisan, quoi donc de plus évident ? Fabriqua-t-il les premières cordes ? D'une seule émission de voix, notre langue dit : le traducteur, le conducteur deviennent vite producteurs. Le guide qui se dissimule derrière ces rimes ou racines me tend un lien, objet fabriqué, relation fiable, puis contrat.

L'appareillage nous jette ailleurs ou vers un autre et dans un autre monde, de sorte que cette relation fait apparaître un appareil, un objet : au sens littéral, une chose jetée devant nous. Il faut bien qu'il sorte de nos corps, pour gésir, ainsi, devant ! D'où viendrait-il, dans le cas contraire, ce jet qui fuse et se lance ? L'organisme entier parfois s'y rue. La projection part du sujet, encore un coup bien nommé. A l'inverse des animaux qui se ferment dans la cuirasse stable de leur instinct, appelons homme cette bête dont le corps perd.

Or derrière ces symboles, ces personnes et leurs actes, se cache celle dont nous défend le guide et qui éduque nos pas, qui nous conduit et, du même coup, nous oblige à produire : la mort. Nos appareillages vers elle nous forcent à fabriquer des outils appareillés des choses, les mots appareillés des artefacts, la musique appareillée des mots, les signes mathématiques appareillés de la musique... Le départ vers elle informe et somme tous les autres départs.

Exemple : après mille et mille millénaires d'efforts infernaux, Sisyphe réussit à pousser la pierre mortuaire hors de terre : le corps mort d'Hestia, déesse funéraire, apparaît sur notre route, cairn, hermès ou tas de roches, tombe ; celle-ci devient quelque jour une pyramide énorme, une statue ou un colosse, une tour ; plus tard, ouvrée, trouée, délicatement travaillée, comme décharnée, formidablement animée, une sorte de tour Eiffel appareille, dans l'ouragan et les nuages, voici la fusée au milieu des étoiles. Ainsi l'agonie d'Hestia, vierge et mère, rattrape, en raccourcissant de manière aveuglante l'interminable et patient circuit de l'hominisation, le lancement d'Ariane. Nos objets les plus sophistiqués résultent d'une succession d'appareillages que la mort accompagne toujours du même pas. Cette histoire longue et vraie développe le chapitre le plus archaïque de la geste générale du dieu Hermès, dont les suivants, les plus faciles, chantent la musique, parlent du langage et déchiffrent les sciences, pour arriver à nos performances.

Terre ! Terre !

Or l'adversité, qui tranche quelquefois les liens, s'attaque maintenant non plus à notre corps seul, promis à la mort depuis l'aube des choses, et s'en défendant par cette sortie ou ces liaisons, justement, pomme, corde ou chef-d'œuvre, page écrite sur un ton pathétique ou banal, mais à ce qui nous attache et relie tous, universellement, notre terre et notre espèce, sommes intégrales de nos cordes et alliances. Depuis Nagasaki, nous portons dans nos pouvoirs notre disparition et les courbes qui l'annoncent croissent verticalement. Quoique devenu sourd depuis que tonitruent sans vergogne les dominateurs de ce monde, je ne suis pas le seul à entendre le chuintement révélateur des couches d'air refoulées par d'énormes roches qui tombent. A la mort individuelle et locale, antique, primitive, succède une mort moderne, spécifique et globale, notre horizon collectif mondial.

Va-t-elle nous réveiller du sommeil savant, et pour quel autre appareillage vers quelle excellence ou quelle virtuosité ? Nous rendra-t-elle autant d'intelligence qu'autrefois les inventeurs des sciences en reçurent de son archaïque sœur ? Plus prégnante la mort, plus capables nos efforts, à plus grande portée nos objets-mondes.

A la mort universelle correspond donc, à la limite, l'univers comme objet. Jetée devant nous, voici la Terre. Sort-elle de nous, sortons-nous d'elle ?

De la nature dont nous parlions autrefois, monde archaïque dans lequel nous vivions plongés, la modernité appareille, dans son mouvement croissant de déréalisation. Devenue abstraite, inexpérimentée, l'humanité développée décolle vers les signes, hante les images et les codes et, volant au milieu d'eux, n'a plus rapport, dans les villes, à la vie ni aux choses du monde. Vautrée dans le doux, elle a perdu le dur. Voyageuse et parlière, informée. Nous ne sommes plus là. Nous errons, hors de tout lieu.

Appareillés assez loin de notre Terre, nous pouvons

enfin la considérer toute. Le paysan, dos courbé, vivait du sillon et ne voyait que lui ; et le sauvage seulement sa clairière ou les sentiers à travers le massif forestier ; le montagnard, sa vallée, découverte des alpages ; le bourgeois, la place publique, observée de son étage ; le pilote d'avion, une portion de l'Atlantique... Voilà une boule floue environnée de turbulences : la Planète-Terre telle que la photographient les satellites. Toute.

A quelle distance volons-nous pour la percevoir ainsi, globalement ? Nous sommes tous devenus des astronautes, entièrement déterritorialisés : non point comme autrefois un étranger pouvait l'être à l'étranger, mais par rapport à la Terre de tous les hommes ensemble.

Chaque individu, jadis, défendait son coin de terre, laboureur à la fois et soldat, parce qu'il en vivait, que ses ancêtres y reposaient : la charrue et le fusil avaient le même sens local, objets-liens au sol, que la tombe. La philosophie invente l'être-là, le ci-gît, au moment même où il disparaît, où la terre s'intègre et passe du lopin à l'univers, où son nom s'adorne d'une majuscule. De ce petit port local et de ses médiocres objets, nous sommes appareillés. Notre plus récent voyage nous amena de la terre à la Terre.

L'humanité entière vole comme planent les astronautes : hors de leurs habitacles, mais reliés à lui par tous les réseaux disponibles, par la somme de nos savoir-faire, de l'argent, du travail et des capacités de tous, de sorte qu'ils représentent l'actuelle condition humaine hautement développée.

Vue d'en-haut, de ce nouveau haut lieu, la Terre contient tous nos ancêtres, mêlés indistinctement : de l'histoire universelle universel tombeau. Quel service funèbre annoncent de loin tous ces panaches de vapeurs ? Et comme, d'ici étant, nul ne perçoit de frontières, de toutes façons abstraites, on peut parler d'Adam et d'Eve, nos premiers communs parents, donc de la fraternité, pour la première fois. Une enfin l'humanité.

Ici nous mena notre éviction du paradis terrestre ; voici donc le résultat, provisoirement final, de l'hominisation et de l'histoire, de notre travail, des générations douloureuses tirées par la mort personnelle. A l'univers-objet correspond donc, dans tous ses sens, l'universelle mort : elle nous menace certes, mais aussi bien se terre là-bas ; ce que j'appelais l'autre monde couvre toute la planète.

Pour la première fois, la philosophie peut dire l'homme transcendant : sous ses yeux, le monde entier s'objective, jeté devant, objet, lien ou appareil ; il se trouve, quant à lui, jeté dehors : appareillé totalement du globe ; non point du port de Brest, de la base de Kourou, du refuge de Chabournéou, de son lit mortuaire, non point d'un lieu donné, ici ou là, non point du terreau de sa vie, paradis, non plus des entrailles de sa mère, mais de la Terre tout entière...

... La plus grosse pomme. La plus belle balle ou boule turbulente. Le plus ravissant bateau, notre éternelle et nouvelle caravelle. La plus rapide navette. La plus gigantesque fusée. Le plus grand vaisseau spatial. La plus épaisse forêt. Le plus énorme rocher. Le refuge le plus confortable. La statue la plus mobile. La motte totale ouverte sous nos pas, fumante.

Emotion indescriptible : la mère, ma mère fidèle, notre mère cénobite depuis que le monde est monde, la plus lourde, la plus féconde, le plus saint des aîtres maternels, masse chaste parce que seule depuis toujours et toujours enceinte, vierge et mère de tous les vivants, mieux que vive, matrice universelle non reproductible de toute vie possible, miroir des glaces, siège des neiges, vase des mers, rose des vents, tour d'ivoire, maison d'or, arche d'alliance, porte du ciel, salut, refuge, reine entourée de nuées, qui saura la déplacer, qui pourra la prendre dans ses bras, qui la protégera, si elle risque de mourir et quand elle entrera en agonie ? Est-il vrai qu'elle s'émeut ? Que n'avons-nous pas détruit de nos virtuosités savantes ?

Emotion : ce qui met en mouvement. Comment nous mouvoir, du jour où nous ne nous appuierons plus sur elle ? Comment la bercer dans nos bras sans fonder nos pieds sur son étai ? Ou appareiller d'elle sans elle ? Comment donc nous émouvoir ? Ceux qui perdront la Terre ne sauront plus jamais pleurer. Ils ne pourront plus jamais enterrer leurs ancêtres. Nous ne pleurons jamais que la perte d'une mère, celle qui nous berça dans ses bras, la seule consolatrice de toutes nos afflictions. Héros certes, intelligents, à coup sûr, géniaux, pourquoi pas, mais inconsolables et inconsolés.

En assez haut vol pour la voir toute, nous voici reliés à elle par la totalité de nos savoirs, la somme de nos techniques, l'ensemble des communications, par des torrents de signaux, par l'intégrale des cordons ombilicaux imaginables, vivants et artificiels, visibles et invisibles, concrets ou de pure forme. En appareillant d'elle d'aussi loin, nous tirons ces cordes jusqu'à les comprendre toutes.

L'humanité astronaute flotte dans l'espace comme un fœtus dans le liquide amniotique, reliée au placenta de la Mère-Terre par toutes les voies nourricières.

Du lieu le plus haut où nous ayons jamais accédé, dans tous les appareillages de l'histoire, l'universel-sujet, l'humanité, enfin solidaire, contemple l'objet-univers, la Terre ; mais aussi : le petit enfant suce sa mère, attaché encore à elle par autant de cordons et de fils. S'identifient ainsi, dans l'émotion, les liens de la vie ou de la nourriture et ceux de la pensée ou de l'objectivation.

De ce site, notre ici et aujourd'hui, nouveau lieu de notre existence et de nos savoirs contemporains, de cet endroit, d'où désormais la philosophie voit et pense, la technique rejoint le vivant et la science la nature, au sens où ce dernier mot signifie une prochaine naissance. Par les canaux de ces liens multiples, durs et doux, qui donnera la vie ou la mort à qui ?

Pour ce sujet nouveau lié au nouvel objet, la vie et la mort, de nouveau, échangent leur rôle, dangereusement, pour monter encore en virtuosité. Ne devons-nous pas devenir, en effet, la mère de notre vieille mère en agonie ? Quel sens inouï aurait cette nouvelle obligation : redonner naissance à la nature qui nous la donna ? La Terre est-elle une Vierge qui accoucha de son Créateur ? De sa Créatrice ?

Oui, la Terre flotte dans l'espace comme un foetus dans le liquide amniotique, reliée au placenta de la Mère-Science, par toutes les voies nourricières.

Qui accouchera de qui et pour quel avenir ?

Appareillage ou parturition, production ou enfantement, vie et pensée conciliées, conception dans les deux cas : le grand Pan, fils d'Hermès, reviendrait-il, sous danger de mort ?

Ces liens de symbiose, réciproques tellement que nous ne savons décider dans quel sens va la naissance, dessinent le contrat naturel.

Désemparé,

voilà ma signature ; car, le plus souvent, je vis et je me sens désemparé, comme, parmi l'ouragan et la mer formidables, un vaisseau perd vite tous ses apparaux ; les lames ravagent les hauts, les mâts cassent, le réseau des cordes se déchire, tout part à l'eau, et ne reste que la coque trouée dansante sur laquelle s'accroche l'équipage survivant. Je survis dans la détresse depuis si longtemps que j'ai perdu toute superstructure propre, pavillon et titre, attaches, voiles, manteau, adresse et port, appellation, visage, allure et opinion.

Appareiller signifie que le bateau et ses marins font confiance à leurs techniques et à leur contrat social, car ils quittent le port tout armés, de pied en cap, vergues fières et bout-dehors pointé vers l'avenir. On dirait qu'en s'emparant de l'eau, ils prennent la mer dans leurs apparaux : le vaisseau hante ses filins et ses baleinières, entouré de sa proue et de son gouvernail, protégé dans la cage de ses cordes nouées, le pilote habite le bateau. Or tout ce beau monde, si bien préparé qu'il annonça au départ que tout était paré, appareille une seconde fois quand la tempête arrache câbles et cabestans et déshabille l'esquif en déchirant le tissu de ses cordages : désormais désemparé.

Je ne veux pas me souvenir des jours où j'ai franchi cette deuxième étape, essentielle et vraie : depuis lors, je n'ai plus d'appareil, il me semble même que je n'en eus jamais. Depuis mon enfance éperdue je vais nu. Réduit au strict résidu. Il me manque même beaucoup de l'indispensable bagage pour survivre commodément. Je vis en alerte de naufrage. Toujours à la côte, délié, à la cape, prêt à sombrer.

La vie belle et bonne à œuvre forte demande-t-elle ces pertes irrémédiables ? La sérénité, la grande santé aiment-elles positivement le dénouement des plus terribles saignées ?

C'est pourquoi je goûtai de la joie pendant le tremblement de terre dont tant de gens autour de moi s'épouvantèrent. Tout à coup le sol secoue ses apparaux : les murs frémissent, prêts à s'effondrer, déliés de leur appareil, les toits se tordent, des femmes tombent, les communications s'interrompent, le bruit empêche qu'on s'entende, la mince pellicule technique se déchire en crissant et claquant de manière métallique ou cristalline, le monde, enfin, vient à moi, me ressemble, tout désemparé. Mille attaches inutiles se délacent, liquidées, pendant que monte des ténèbres, sous les pieds déséquilibrés, l'être essentiel, le bruit de fond, le monde qui gronde : la coque, le bau, la quille, la charpente puissante, l'infrastructure pure, ce à quoi je m'accroche depuis toujours. Je reviens dans mon univers familier, en mon espace tremblant, aux nudités ordinaires, à mon essence, exactement à l'extase.

Qui suis-je ? Une trémulation de néant, vivant dans un séisme permanent. Or, pendant un moment de bonheur profond, à mon corps vacillant vient s'unir la Terre spasmodique. Qui suis-je, maintenant pour quelques secondes ? La Terre elle-même. Communiant tous deux, en amour elle et moi, doublement désemparés, ensemble palpitant, réunis dans une aura.

Je l'ai vue, de mes yeux et de mon entendement, naguère ; enfin, par mon ventre et mes pieds, par mon sexe je la suis. Puis-je dire que je la connais ?

La reconnaîtrais-je pour ma mère, pour ma fille et mon amante ensemble ?

Dois-je la laisser signer ?

Cet ouvrage a été réalisé sur
Système Cameron
par la SOCIÉTÉ NOUVELLE FIRMIN-DIDOT
Mesnil-sur-l'Estrée
pour le compte des Éditions François Bourin
le 9 mars 1990

En couverture :
Photo M. Garland/TIB

N° d'édition : 74 – N° d'impression : 14369
Dépôt légal : mars 1990
ISBN : 2-87686-041-4